Buchführung

Horst-Dieter Radke

3. Auflage

Haufe

Bibliografische Information der deutschen Bibliothek
Die Deutsche Bibliothek verzeichnet diese Publikation in der Deutschen Nationalbibliografie; detaillierte bibliografische Daten sind im Internet über http://dnb.ddb.de abrufbar.

ISBN 3-448-06148-4
Bestell-Nr. 00677-0003

1. Auflage 1998 (ISBN 3-86027-206-3)
2., überarbeitete Auflage 2002 (ISBN 3-448-04866-6)
3., aktualisierte Auflage 2004

Postanschrift: Postfach, 82142 Planegg
Hausanschrift: Fraunhoferstraße 5, 82152 Planegg
Fon (0 89) 8 95 17-0, Fax (0 89) 8 95 17-2 50
E-Mail: online@haufe.de
Internet: www.haufe.de
Lektorat: Dr. Ilonka Kunow
Redaktion: Sylvia Rein

Satz + Layout: Werbeagentur S6 GmbH, 82166 Gräfelfing
Umschlaggestaltung: Agentur Buttgereit & Heidenreich, 45721 Haltern am See
Druck: freiburger graphische betriebe, 79108 Freiburg

Zur Herstellung der Bücher wird nur alterungsbeständiges Papier verwendet.

TaschenGuides – alles, was Sie wissen müssen

Für alle, die wenig Zeit haben und erfahren wollen, worauf es ankommt. Für Einsteiger und für Profis, die ihre Kenntnisse rasch auffrischen wollen.

Sie sparen Zeit und können das Wissen effizient umsetzen:

Kompetente Autoren erklären jedes Thema aktuell, leicht verständlich und praxisnah.

In der Gliederung finden Sie die wichtigsten Fragen und Probleme aus der Praxis.

Das übersichtliche Layout ermöglicht es Ihnen sich rasch zu orientieren.

Anleitungen „Schritt für Schritt", Checklisten und hilfreiche Tipps bieten Ihnen das nötige Werkzeug für Ihre Arbeit.

Als Schnelleinstieg die geeignete Arbeitsbasis für Gruppen in Organisationen und Betrieben.

Ihre Meinung interessiert uns! Mailen Sie einfach unter online@haufe.de an die TaschenGuide-Redaktion. Wir freuen uns auf Ihre Anregungen.

Inhalt

6 ■ **Vorwort**

7 ■ **Wofür Buchführung?**
8 ■ In welchem betrieblichen Zusammenhang steht die Buchführung?
10 ■ Wer muss Bücher führen?
13 ■ Was heißt: doppelte Buchführung?
16 ■ Wie die Buchhaltung organisiert wird
21 ■ Die Buchhaltung mit der EDV führen

25 ■ **Wie Sie von der Inventur über die Bilanz zum Konto kommen**
25 ■ Eine Bestandsaufnahme machen
29 ■ Zur Eröffnung wird Bilanz gemacht
33 ■ Die Bilanz in Konten auflösen
39 ■ Der richtige Rahmen für die Konten

42 ■ **Wie Sie richtig buchen**
42 ■ Was ist ein Buchungssatz?
45 ■ Buchen auf Bestandskonten
49 ■ Der Buchungskreislauf
52 ■ Kosten und Erlöse buchen
56 ■ Wie die Umsatzsteuer gebucht wird
66 ■ Wie Sie die sonstigen Unternehmenssteuern buchen

Richtig buchen im Waren- und Zahlungsverkehr ■ 68
Wie Sie Personalbuchungen durchführen ■ 84
Der richtige Umgang mit dem Privatkonto ■ 86

Der Jahresabschluss ■ 89
Was heißt hier „abgeschrieben"? ■ 90
Wann sind Rückstellungen und Abgrenzungen vorzunehmen? ■ 97
Bewertungen sind notwendig ■ 102
Was wird mit dem Gewinn gemacht? ■ 107
Die Analyse des Jahresabschlusses ■ 110

Anhang ■ 114
SKR 01 Kontenrahmen (DATEV) ■ 114

Buchführungs-ABC ■ 120

Vorwort

Die Buchhaltung hält alle Geschäftsvorfälle, die sich auf Veränderungen des Betriebsvermögens und den Erfolg des Unternehmens auswirken, in Zahlen fest. Damit liefert sie die Daten für die Bilanz und die Gewinn- und Verlustrechnung und gewährleistet, dass zum Jahresabschluss genaue Aussagen über Vermögensstand und Geschäftserfolg des Unternehmens gemacht werden können.

Grundkenntnisse der doppelten Buchführung sind daher unerlässlich für jeden, der verantwortlich in einem Unternehmen arbeitet, sei es als Selbständiger, als Führungskraft, als leitender kaufmännischer oder technischer Angestellter oder als Mitarbeiter im Rechnungswesen.

Dieser TaschenGuide klärt Sie über die Grundlagen auf und führt Sie in leicht verständlichen Anleitungen Schritt für Schritt zur Buchungspraxis. Sie erfahren, was Buchungssatz, Kontenrahmen, Soll und Haben bedeuten, wie Sie mit der Buchführung starten, Bestands- und Erfolgskonten führen und abschließen oder was Sie beim Jahresabschluss alles beachten müssen. Zahlreiche Beispiele ermöglichen Ihnen einen Einblick in die Buchungspraxis, angefangen vom Waren- und Zahlenverkehr über Steuern, Abschreibungen, Gehälter, Privatentnahmen bis zu Rückstellungen und Zinsaufwendungen.

Horst-Dieter Radke

Wofür Buchführung?

Wo die Buchführung ihren Ursprung hat

Das Bedürfnis, Aufzeichnungen über geschäftliche Vorgänge zu machen, ist fast so alt, wie das Bestreben des Menschen, zu wirtschaften. Man fand Papyri und Tontafeln mit Aufzeichnungen von Verkäufen und Warenbewegungen. Bücher mit systematischen Aufführungen von Geld- und Geschäftsvorgängen sind in Gebrauch, seit man von Büchern sprechen kann.

Auch das, was wir heute **doppelte Buchführung** nennen, ist älter, als es den Anschein haben mag. Eine erste systematische Aufzeichnung lieferte der Dominikanermönch Luca Pacioli im Jahre 1494. Seine Darstellung ist so komplett – und in der beschriebenen Form auch heute noch gültig – dass wir davon ausgehen können, dass dieses System sich schon früher entwickelt haben muss.

■ *Allen Lesern, die stärker an der Buchhaltung interessiert sind, kann die Lektüre dieser alten Beschreibung nur empfohlen werden. Sie liegt in einer deutschen Übersetzung in einer Reprint-Ausgabe vor.* ■

Gilt aber heute noch das mehr als 500 Jahre alte System, so hat doch eine Spezialisierung stattgefunden. Im Rahmen des betrieblichen Rechnungswesen ist die Buchführung nur der Teil eines Ganzen, allerdings der Teil, auf dem auch der Gesetzgeber besteht.

In welchem betrieblichen Zusammenhang steht die Buchführung?

Die Buchführung ist das Zentrum eines größeren Ganzen. Dieses Ganze nennt man das **betriebliche Rechnungswesen.** Es soll ein möglichst exaktes Abbild des gesamten Unternehmensgeschehens liefern. Dabei werden nicht nur die Vermögensverhältnisse dargestellt, sondern auch lückenlos alle Vorgänge, die den Unternehmenserfolg bestimmen, aufgezeichnet. Weiterhin wertet das Rechnungswesen die vorhandenen Informationen auch aus und ist damit der Unternehmensleitung bei der Steuerung des Unternehmens dienlich.

Daten für die Bilanz und Gewinnermittlung

Das Kernstück des Rechnungswesens bildet die **Geschäfts- oder Finanzbuchhaltung.** Hier werden Aufzeichnungen über das Vermögen und die Vermögensänderungen sowie über den Werteverbrauch und Wertezuwachs gemacht. Aus ihr lässt sich der Erfolg des Unternehmens – Gewinn oder Verlust – ablesen.

Die **Kosten- und Leistungsrechnung** ergänzt die Finanzbuchhaltung; sie erfasst alle Vorgänge, die zur Erfüllung der eigentlichen betrieblichen Tätigkeit notwendig sind. Die Kosten werden dabei „neu" auf andere Konten, die so genannten Kostenstellen, verteilt und anschließend in der Kostenträgerrechnung (Kalkulation und Erfolgsrechnung) genutzt. Finanzbuchhaltung und Kosten- und Leistungsrechnung werden durch die Betriebsstatistik weiter ausgewertet. Auch Daten anderer betrieblicher Bereiche werden – soweit sie zur Verfügung stehen – zur Auswertung hinzugezogen.

Die Planungsrechnung versucht dann, in einer Vorschau für die künftige Unternehmensentwicklung eine Orientierung zu geben. In zeitgemäßen Unternehmen werden alle Bereiche durch das Controlling ausgewertet, das daraus ein betriebliches Steuerungs- und Kontrollsystem bildet, das führungsrelevante Informationen liefert. (Informationen zum Controlling erhalten Sie im TaschenGuide *Controllinginstrumente*).

Die Buchführung erfasst systematisch alle geschäftlichen Vorgänge in Zahlen. Daraus ergibt sich der Zustand des Unternehmens in Vermögen und Schulden und die Ertragslage des Unternehmens. Die Buchführung liefert somit die Daten für die Bilanz und die Gewinn- und Verlustrechnung, für die Planung und das Controlling.

Diagramm Rechnungswesen

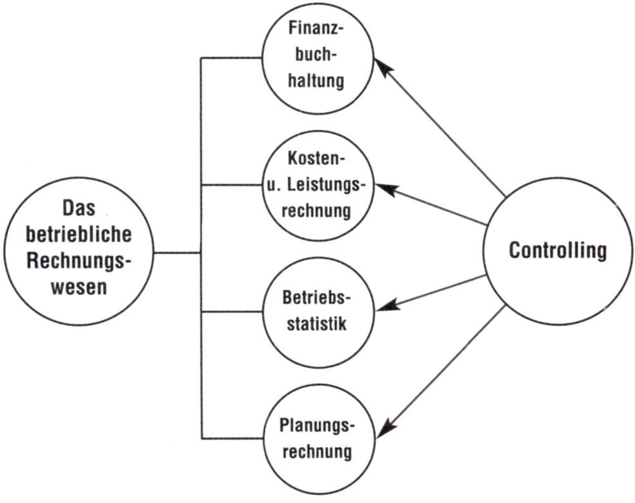

Wer muss Bücher führen?

Diese Rechtsvorschriften sind wichtig

Ein eigenes Gesetz zur Buchführungspflicht gibt es nicht. In einigen anderen Gesetzen finden Sie aber entsprechende Abschnitte und Paragraphen, welche die Pflicht zur Führung von Büchern eindeutig regeln. Insbesondere trifft das zu auf

- das Handelsgesetzbuch (HGB),
- die Abgabenordnung (AO),
- das Umsatzsteuergesetz (UStG),
- das Gewerbesteuergesetz (GewStG),
- das Einkommensteuergesetz (EStG) und
- das Körperschaftssteuergesetz (KStG).

Lange Zitate aus den Gesetzestexten wollen wir an dieser Stelle der Übersichtlichkeit wegen jedoch vermeiden. Im Wesentlichen kommt es auf die folgenden rechtlichen Grundsätze zur Buchführung (nach HGB § 238 Abs. 1) an:

- Jeder Kaufmann ist verpflichtet, Bücher zu führen.
- Dabei sind die Grundsätze ordnungsmäßiger Buchführung (GoB) zu berücksichtigen (ab Seite 12).
- Ein sachverständiger Dritter muss in angemessener Zeit die Buchführung verstehen können.
- Die einzelnen Geschäftsvorfälle müssen zeitlich eingeordnet werden.

Kaufmann oder Nichtkaufmann?

Zum 1.7.98 wurde das Handelsrecht in wesentlichen Teilen reformiert. Unter anderem wurde der Kaufmannsbegriff vereinfacht.

Das bisherige HGB unterschied in einem komplizierten System den Muss- vom Sollkaufmann und den Voll- vom Minderkaufmann. Das neue Recht kennt nur noch den „Kaufmann" und den „Nichtkaufmann".

Was heißt das?

- Kaufmann ist danach jeder, von der Branche unabhängige Gewerbetreibende, dessen Betrieb einen in kaufmännischer Weise organisierten Geschäftsbetrieb erfordert.
- Nichtkaufmann ist der nicht in das Handelsregister eingetragene Gewerbetreibende, dessen Betrieb eine kaufmännische Betriebsführung nicht erfordert.

Alle Kaufleute sind verpflichtet, Bücher zu führen; lediglich Nichtkaufleuten ist dies erlassen. Erfüllt allerdings ein Nichtkaufmann eine der folgenden Voraussetzungen (nach § 141 Abgabenordnung), so muss auch er Aufzeichnungen in Form der Buchführung erstellen:

- mehr als 350 000 € Umsatz jährlich
- Gewinn aus einem Gewerbebetrieb von mehr als 30 000 € jährlich.

Wann Sie von der Buchführung befreit sind

Außer den Nichtkaufleuten sind auch Freiberufler nicht buchführungspflichtig. Bei einer freiberuflichen Tätigkeit handelt es sich um eine wissenschaftliche, schriftstellerische, künstlerische, unterrichtende oder erzieherische Tätigkeit oder um einen der namentlich im Gesetz aufgeführten Katalogberufe; dazu gehören z. B. Ärzte, Rechtsanwälte, Architekten und Journalisten. Freiberufler und Nichtkaufleute müssen dem Finanzamt gegenüber die Betriebserlöse in Form einer Einnahmen-Ausgaben-Rechnung vorlegen, welche den jährlichen Betriebserlösen die Betriebsausgaben gegenüberstellt. Dies kann in Form eines Kassenbuchs oder einer speziellen Überschussrechnung geschehen (AO § 140 f.). Dieses Verfahren wird auch **vereinfachte Gewinnermittlung** genannt.

Entscheidungsspielraum für die Auswahl eines der beiden Buchführungssysteme gibt es kaum. Allenfalls können Freiberufler und Nichtkaufleute sich entscheiden, die doppelte Buchführung einzuführen, auch wenn sie die dazu nötigen Kriterien (noch) nicht erfüllen. Andersherum geht es aber nicht: Wer nach dem Gesetz zur doppelten Buchführung verpflichtet ist, hat keine Wahlmöglichkeit.

Die Grundsätze ordnungsmäßiger Buchführung beachten

Die **Grundsätze ordnungsmäßiger Buchführung,** die sich aus § 238 HGB herauslesen lassen, sind weder als eigenständiges Gesetz noch anderweitig in zusammenhängender Form niedergeschrieben. Sie haben sich vielmehr aus der Praxis und der Rechtsprechung ergeben und finden sich in vielen handels- und steuerrechtlichen Vorschriften, überwiegend im HGB:

- Der Jahresabschluss muss nach den Grundsätzen ordnungsmäßiger Buchführung aufgestellt werden (HGB § 243). Dazu gehört, dass er
  - klar und übersichtlich ist
  - eine zeitgerechte Aufstellung aufweist.
- Bilanz und Gewinn- und Verlustrechnung müssen vollständig sein (HGB § 246).
- Posten der Aktivseite dürfen nicht mit der Passivseite verrechnet werden (Verrechnungsverbot).
- Die Bücher müssen in einer verständlichen Sprache geführt werden (HGB § 239).
- Die Aufzeichnungen müssen vollständig, richtig, zeitgerecht und geordnet erfasst werden.
- Eintragungen dürfen nicht unleserlich gemacht werden.

Wer gegen die Grundsätze ordnungsmäßiger Buchführung verstößt, muss mit schwerwiegenden Folgen rechnen: Das Finanzamt kann die Besteuerungsgrundlage schätzen oder sogar Strafverfahren mit Geld- und Freiheitsstrafen einleiten.

Was heißt: doppelte Buchführung?

Für einen Vorgang zwei Buchungen

Doppelte Buchführung bedeutet nicht, dass die Buchführung doppelt gemacht werden muss – in der Art, wie man von einem Brief ein Duplikat erstellt – sondern dass jeder Buchungsvorgang aus zwei Einzelbuchungen besteht: eine im

Soll und eine im Haben (s. a. Abschnitt „Wie Sie richtig buchen" ab Seite 42).

Die einfache Buchführung bzw. Gewinnermittlung hingegen, die etwa in Form eines Kassenbuches geführt wird, weist je Vorgang nur eine Buchung auf.

Beispiel

Wird etwa ein Betrag von 200 € von der Bank abgehoben und in die Kasse gelegt, so führt das Kassenbuch einen Zugang von 200 € auf, evtl. mit dem Hinweis „Bankabhebung". In der doppelten Buchführung bucht man hingegen einmal den Betrag von 200 € auf dem Kassenkonto im Soll (mit dem Hinweis auf das Bankkonto) und noch einmal auf dem Bankkonto im Haben (mit dem Hinweis auf das Kassenkonto). Für die Kasse bedeutet die Soll-Buchung einen Zugang, für das Bankkonto bedeutet die Haben-Buchung einen Abgang.

Entsprechend haben alle Konten der Buchführung eine Soll- und eine Haben-Seite.

Die doppelte Gewinnermittlung

Zur doppelten Buchführung gehört auch eine zweifache Gewinnermittlung:

1. ein **Betriebsvermögensvergleich** am Anfang und Ende des Wirtschaftsjahres und
2. die Aufstellung der **Gewinn- und Verlustrechnung** (GuV) beim Jahresabschluss.

Dieser **Jahresabschluss** besteht aus der Bilanz sowie der Gewinn- und Verlustrechnung. Kapitalgesellschaften müssen außerdem noch einen Anhang mit detaillierten Erläuterungen und einen Lagebericht für den Jahresabschluss erstellen.

Wodurch sich doppelte Buchführung und Überschussrechnung unterscheiden

Mit der Überschussrechnung legen Sie dem Finanzamt über Ihre Einkunftssituation Rechenschaft ab, wenn Sie von der doppelten Buchführung befreit sind. Diese Form der Buchhaltung unterscheidet sich von jener nicht nur durch die einfache Buchung je Vorgang, sondern auch noch durch die zeitliche Zuordnung der Geschäftsvorfälle:

- Bei der doppelten Buchhaltung werden die Geschäftsvorfälle nach ihrer Zugehörigkeit zu einer zeitlichen Periode gebucht.
- Bei der Überschussrechnung zählt der Zahlungszeitraum.

Beispiel

Wird beispielsweise eine Rechnung im Dezember geschrieben, aber erst im Januar des folgenden Jahres gezahlt, so gehört bei der doppelten Buchführung der Vorgang in das alte Jahr (bzw. in den vorangegangenen Monat), und entsprechend muss der Umsatz auch zugeordnet werden. Bei der Überschussrechnung gehört der Umsatz hingegen in das neue Jahr, da hier die Zahlung erfolgt ist.

Da die doppelte Buchführung wesentlich aussagekräftiger ist, als die einfache Buchführung in Form einer Überschussrechnung, empfiehlt sich auch dort die Führung einer doppelten Buchführung, wo zeitaktuelle Informationen über den Geschäftsverlauf nötig sind, eine gesetzliche Anforderung aber eigentlich noch nicht gegeben ist.

Über die Gewinnermittlung durch Überschussrechnung können Sie sich ausführlich informieren im Taschenguide *Einnahmen-Überschussrechnung.*

Wie die Buchhaltung organisiert wird

In der Buchhaltung werden die Geschäftsvorgänge des Unternehmens in Zahlen erfasst und abgebildet. Die Buchführung mit „Büchern", d. h. die manuelle Buchführung, wird dabei immer mehr durch eine EDV-Buchführung abgelöst.

Welche Bedeutung die Bücher haben

Tatsächlich baut die doppelte Buchführung auf verschiedenen Büchern auf, die man auch in einer EDV-Buchhaltung noch wiederfinden kann. Im Mittelpunkt steht das **Grundbuch**, auch **Journal** genannt, in das die laufenden Geschäftsvorfälle in zeitlicher Reihenfolge eingetragen werden. Darin buchen Sie:

- die laufenden Geschäftsvorfälle
- die Eröffnungsbuchungen
- die vorbereitenden Abschlussbuchungen
- die Abschlussbuchungen.

Das Journal ist wichtig, um die Geschäftsvorfälle zeitlich und lückenlos einordnen zu können. Durch einen Verweis auf den dem Geschäftsvorfall zugrunde liegenden Beleg (meist durch eine Belegnummer) ist eine Rückverfolgung zum Originalbeleg jederzeit schnell möglich.

Da aus dem Journal zwar die Reihenfolge der Geschäftsvorfälle ersehen und ein Bezug zum Beleg gefunden, nicht aber der Stand des Vermögens ermittelt werden kann, führt man zusätzlich ein so genanntes **Hauptbuch.** Dieses Buch enthält alle Konten, von der Eröffnungs- bis zur Schlussbilanz. Diese Konten gewähren durch ihre Soll-Haben Einteilung den gewünschten Überblick jederzeit, vorausgesetzt, das Hauptbuch wird auch aktuell auf Stand gehalten. Das Hauptbuch dient außerdem zur Kontrolle der ganzen Buchhaltung. Werden alle Soll- und Habenposten zusammenaddiert, muss eine Übereinstimmung bestehen.

Weitere Bereiche der Buchhaltung

Neben diesen grundlegenden Büchern gibt es eine Reihe von weiteren Bereichen, welche die Buchhaltung ergänzen:

- Die **Lagerbuchhaltung** führt Aufzeichnungen über Bestände, Zugänge und Abgänge der einzelnen Waren.
- Die **Kreditoren- und Debitorenbuchhaltung,** auch **Offene-Posten-Buchhaltung** genannt, führt Auflistungen der Verbindlichkeiten (der Kreditoren oder Lieferanten) und der Forderungen (der Debitoren oder Kunden), soweit sie noch nicht ausgeglichen sind. Bei Ausgleich einer Position durch Zahlung verschwindet der Posten aus den Listen; es stehen also nur die noch aktuell offenen Posten darin.
- In der **Lohn- und Gehaltsbuchhaltung** werden die gesamten Lohn- und Gehaltsabrechnungen geführt. Mit der eigentlichen Buchhaltung findet dann ein Abgleich der summierten Positionen statt.
- Das **Wechselbuch** ist in den Betrieben üblich, in denen mit Besitz- und Schuldwechseln gearbeitet wird. Es kor-

respondiert mit den entsprechenden Konten der Buchhaltung, enthält aber darüber hinausgehende Informationen (wann der Wechsel fällig ist, wer Aussteller und wer Bezogener ist, usw.).

▪ *Im Zeitalter der EDV ist die manuelle Buchführung eher selten; sie wird im Buchführungsunterricht der Schulen und Hochschulen noch in Form der T-Konten geübt. In der Praxis führt kaum noch ein Betrieb Bücher ohne Hilfe des Computers. In Schreibwarengeschäften kann man jedoch noch Vordrucke und Bücher für die manuelle Buchführung kaufen.* ▪

Keine Buchung ohne Beleg

Allen Geschäftsvorgängen, die in der Buchhaltung erfasst werden, müssen Belege zugrunde liegen – ohne sie kann keine Buchung erfolgen.

Aufgrund folgender Belegarten wird gebucht:

- Fremdbelege gelangen von außen als Eingangsrechnungen und Gutschriften von Lieferanten, Kontoauszüge, Quittungen, Postbelege etc. in die Buchhaltung.
- Eigenbelege gelangen von innen als Kopien von Ausgangsrechnungen, Lohn- und Gehaltslisten, Spesenabrechnungen etc. in die Buchhaltung.

Fehlt einmal für einen Vorgang ein Beleg, so können Sie einen **Ersatzbeleg** erstellen. Dieser muss verschiedene Informationen enthalten:

– Datum des Geschäftsvorgangs

- Grund und Höhe der Auszahlung oder Einnahme
- Hinweis auf den Grund für die Ausstellung des Ersatzbelegs.

Wie gehen Sie vor?

Der Umgang mit den Belegen in der Buchhaltung spielt sich in der Regel folgendermaßen ab:

1. Die Belege werden zunächst geprüft, sowohl sachlich als auch rechnerisch.
2. Meistens werden die Belege dann sortiert nach Buchungsvorgang oder Ablagesystem.
3. Dann werden die Belege für die Buchung vorbereitet: Sie erhalten eine fortlaufende Nummer und die Kontierung, d. h. die Nummern der betroffenen Konten bzw. der Buchungssatz werden eingetragen.
4. Anschließend werden die Belege gebucht. Um eine eindeutige Zuordnung zwischen Beleg und Buchung zu erzeugen, wird mindestens die Belegnummer und die Belegart bei der Buchung angegeben.
5. Abschließend werden die Belege mit einem Buchungsvermerk versehen und abgelegt.

Belege richtig ablegen und aufbewahren

Eine übersichtliche Belegablage ist Grundvoraussetzung für eine ordnungsmäßige Buchführung. Jeder Kaufmann ist verpflichtet, folgende Unterlagen aufzubewahren (nach § 257 HGB):

- Handelsbücher, Inventare, Eröffnungsbilanzen, Jahres- und Konzernabschlüsse, Lageberichte, Konzernlageberichte sowie die zu ihrem Verständnis erforderlichen Arbeitsanweisungen und sonstigen Organisationsunterlagen
- eingegangene Handelsbriefe, Kopien abgesandter Handelsbriefe
- Belege für Buchungen.

Geregelt wird in § 257 HGB auch, wie lange die Unterlagen aufbewahrt werden müssen:

- Handelsbücher, Inventare, Bilanzen, Buchungsbelege etc. müssen 10 Jahre lang aufbewahrt werden,
- die sonstigen Unterlagen sechs Jahre. Die vor dem Jahr 2000 gültige 6-jährige Aufbewahrungspflicht trifft für Unterlagen des Rechnungswesens nicht mehr zu.

Fallen viele Belege und Unterlagen an (z. B. in Großunternehmen), so reicht auch die Aufbewahrung z. B. in Form von Mikrofilmkopien aus. Dies ist geregelt in § 147 der Abgabenordnung, wo von einem Bildträger oder anderen Datenträgern die Rede ist. Eine Aufbewahrung auf magnetischen Datenträgern (Diskette, Festplatte, Magnetband) ist jedoch noch nicht möglich, da keiner dieser Datenträger bisher die Daten über die vorgeschriebene Zeit mit absoluter Sicherheit aufbewahren kann.

Voraussetzung für eine Aufbewahrung der Originalbelege auf einem Bild- oder Datenträger ist aber, dass ein Gerät zur jederzeitigen Sichtbarmachung der Belegkopien vorhanden ist.

Die Buchhaltung mit der EDV führen

Die elektronische Datenverarbeitung hat selbst in Kleinbetrieben zur Führung der Buchhaltung Einzug gehalten. Die Vorteile dafür sind auch schnell erkannt:

- Der Computer übernimmt aufwendige Zuordnungsaufgaben schneller und sicherer als der Mensch.
- Systematische Aufgaben – wie z. B. die Abschlüsse – erledigt der Computer schneller und genauer.
- Aus dem vorhandenen Zahlenmaterial lassen sich Auswertungen fast beliebig und mit wenig Aufwand erstellen.
- Vorgänge können wiederholt werden. Haben Sie etwa Buchungen für einen Abschluss vergessen, lassen sich diese nachbuchen, und der Abschluss kann ohne großen Aufwand wiederholt werden.

Nicht ohne Nachteile

Dennoch hat die EDV-Buchhaltung auch Nachteile. Der Anwender sieht nicht mehr direkt, wie es in der Buchhaltung aussieht. Er kann zwar auf Listen und Bildschirm die Buchungen nachvollziehen, eine geschlossene Buchhaltung wie in der alten Form ist dadurch aber nicht immer im Blick. Auch Fachwissen ist nur noch begrenzt für die Buchungserfassung nötig. Man braucht sich ja – scheinbar – nur vom Programm leiten zu lassen. Das ist aber ein Trugschluss – denn das Programm nimmt Ihnen lediglich die Routineaufgaben ab und hilft, systematische Fehler zu vermeiden, indem es etwa prüft, ob die Buchungen auf beiden Seiten gleich sind. Was aber auf den Konten steht, wird nach wie vor von den buchenden Personen bestimmt.

■ *Auf gründliche Kenntnisse der doppelten Buchführung ist auch bei einer EDV-Buchführung nicht zu verzichten.* ■

Dialogbuchung oder Stapelbuchung?

Buchen mit der EDV-Buchhaltung ist auf zwei Arten möglich: im Dialog mit dem Programm und als Stapel.

Im ersten Fall fragt das Programm über Erfassungsmasken alle benötigten Details für eine Buchung wie Kontennummer, Belegnummer, Belegtext und Beträge, evtl. auch den Steuersatz ab und führt anschließend die Buchung aus. Eine Änderung dieser Buchung ist danach undokumentiert nicht mehr möglich. Diese Art der Dialogbuchung bietet sich deshalb nur bei Einzelbuchungen an.

Andernfalls wählt man die Stapelbuchung. Hierbei werden alle anliegenden Buchungen ebenfalls über eine Erfassungsmaske oder Dialogbox erfasst. Diese werden dann aber nicht verbucht, sondern in einem Stapel abgelegt. Es ist jetzt möglich, jede Buchung noch einmal zu prüfen und zu kontrollieren. Das kann am Bildschirm passieren oder auch auf einem Ausdruck des Stapels. Innerhalb dieses Stapels ist jederzeit eine Korrektur ohne Dokumentation möglich. Erst wenn die Prüfung abgeschlossen ist, wird der ganze Stapel in einem Rutsch gebucht. Ab jetzt gilt auch hier: Jede Änderung ist zu protokollieren.

■ *„Prüfen Sie bei Ihrem Buchhaltungsprogramm, ob sich Dialog- und Stapelbuchungsbereich vertragen. In manchen Programmen sind in den Offenen Posten die jeweils anderen Buchungen (Stapel nicht im Dialog oder umgekehrt) nicht zu sehen."* ■

Dialogmaske für eine Buchung

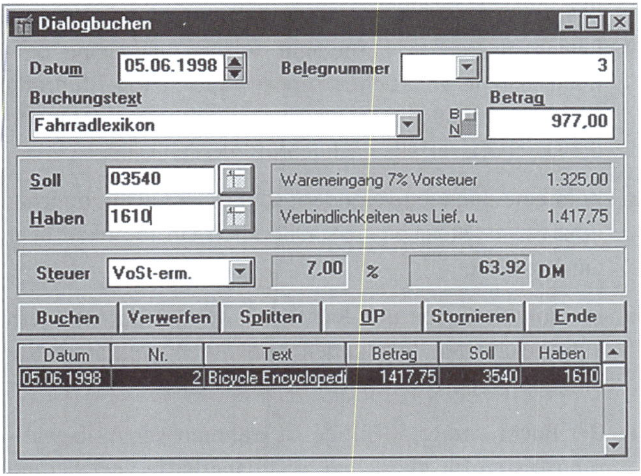

Worauf bei der EDV-Buchführung zu achten ist

Dem Trend zur EDV-Buchführung trägt auch der Gesetzgeber Rechnung, der „Grundsätze zur ordnungsmäßigen Speicherbuchführung" (GoS) erlassen hat. Speicherbuchführung besteht demnach darin, dass die Buchungen auf maschinell lesbaren Datenträgern aufgezeichnet und jederzeit bei Bedarf lesbar gemacht werden können. Dabei ist zu beachten:

- Die gesetzlichen Grundlagen im HGB und in der AO sowie die Grundsätze ordnungsmäßiger Buchführung gelten in gleicher Weise wie für andere Buchführungstechniken.

- Buchungen müssen auch bei der Speicherbuchhaltung durch Belege nachgewiesen werden.
- Belege müssen so aufbereitet werden, dass eine ordnungsmäßige Verarbeitung in der Speicherbuchführung möglich ist und die sachliche und zeitliche Zuordnung der Geschäftsvorfälle nachgeprüft werden kann.
- Wird eine Buchung verändert, so muss ihr ursprünglicher Inhalt feststellbar bleiben, z. B. durch ein Protokoll über die Änderung.
- Die Vollständigkeit und Richtigkeit der auf Datenträgern aufgezeichneten Buchungen sind durch programmierte und/oder andere Kontrollen sicherzustellen.
- Der Buchführungspflichtige ist während der Aufbewahrungsfristen für die sichere und dauerhafte Speicherung der Daten verantwortlich.

Wie Sie von der Inventur über die Bilanz zum Konto kommen

Eine Bestandsaufnahme machen

Durch Handels- und Steuerrecht (HGB § 240, AO § 140, § 141 Abs. 1) ist vorgeschrieben, wann ein Unternehmen eine Bestandsaufnahme vorzunehmen hat. Diese Bestandsaufnahme nennt man Inventur, die Aufzeichnungen dazu Inventar (lat. *Inventarium* = Verzeichnis des Vorgefundenen). Aufgezeichnet werden dabei Art, Menge und Wert aller Vermögensgegenstände und Schulden.

In diesen Fällen müssen Sie Inventur machen:

- bei Gründung oder bei Übernahme eines Unternehmens
- am Schluss eines jeden Geschäftsjahres
- bei der Auflösung oder der Veräußerung des Unternehmens.

Zu unterscheiden ist zwischen einer körperlichen und einer Buchinventur. Bei der körperlichen Inventur wird gezählt oder gemessen, gewogen, geschätzt, was angefasst werden kann; es werden alle Gegenstände wie Maschinen, Anlagen, Betriebs- und Geschäftsausstattung und Warenbestände erfasst. Die Buchinventur hält hingegen alle Bankguthaben und -schulden, Forderungen und Verbindlichkeiten fest. Diese Werte lassen sich in der Regel aus Belegen, z. B. Kontoauszügen ermitteln.

Welche Verfahren Sie anwenden können

Die bekannteste Form der Inventur ist die Stichtagsinventur. Zu einem bestimmten Tag wird eine komplette mengenmäßige Bestandsaufnahme vorgenommen. Termin ist meistens der tatsächliche Jahresabschluss; von diesem Termin kann aber auch geringfügig abgewichen werden (max. um 10 Tage vor- oder nachverlegt). Die Zugänge und Abgänge in diesem Zeitraum müssen allerdings dokumentiert und dann in die Inventur eingerechnet werden.

Da diese Art der Inventur oft arbeitsintensiv und aufwendig ist, gibt es einige Vereinfachungsverfahren (nach HGB § 241):

- Die **verlegte Inventur** (HGB § 241 Abs.3). Dabei sind Abweichungen von 3 Monaten vor oder 2 Monate nach dem Bilanzstichtag möglich. Eine wertmäßige Fortschreibung zum Abschlussstichtag muss aber vorgenommen werden.
- Die **permanente Inventur** (HGB § 241 Abs.2) verzichtet ganz auf die körperliche Bestandsaufnahme zu einem bestimmten Stichtag. Das gesamte Inventar wird während des Jahres einmal körperlich erfasst – nur nicht auf einmal. Richtig eingesetzt ist die permanente Inventur ein rationelles Verfahren: Sie findet nebenher das ganze Jahr über statt.
- Bei der **Stichprobeninventur** (HGB § 241 Abs.1) wird der Bestand mittels mathematisch-statistischer Verfahren aufgrund von Stichproben ermittelt.

Die Ergebnisse festhalten

Die Ergebnisse der Inventur müssen Sie nach vorgegebenen Regeln in einem Verzeichnis zusammenfassen. Dieses Verzeichnis ist dreigeteilt und besteht aus

- Vermögen
- Schulden
- Reinvermögen oder Eigenkapital.

Das Vermögen ist geordnet nach der Flüssigkeit der einzelnen Positionen:

- Zuerst führen Sie das langfristig genutzte Vermögen (Grundstücke, Gebäude, Maschinen, Fahrzeuge, Geschäftsausstattung etc.) auf. Diese Positionen sind i. d. R. nicht so schnell „flüssig" zu machen, d. h. man muss sie erst verkaufen, um an das Geld zu kommen.
- Dann kommt das Vermögen, das nur sehr kurzfristig im Unternehmen verweilt. Dazu gehören die Waren oder Roh-, Hilfs- und Betriebsstoffe sowie unfertige und fertige Erzeugnisse, Forderungen sowie alle Geldmittel (Kasse-, Bank- und Postgiroguthaben).

Die Schulden ordnen Sie nach ihrer Fälligkeit:

- Den Anfang machen hier die langfristigen Schulden (Hypotheken-, Darlehensschulden). Diese Mittel stehen dem Unternehmen auch relativ lange zur Verfügung.
- Anschließend führen Sie die kurzfristigen Schulden auf (Lieferantenschulden, Kontokorrentschulden der Banken etc.). Sie müssen auch i. d. R. schnell zurückgezahlt werden.

Inventar der Fahrradanhänger Kids & Bike GmbH, zum 31. Dez. 2001

	€	€
I. Vermögen		
1. Bebaute Grundstücke		475 000
2. Geschäftsausstattung		28 000
3. Warenbestände lt. bes. Verzeichn.		
Kinderanhänger	88 000	
Transportanhänger	74 000	
Fahrradverlängerungen	13 500	
Zubehör	17 500	193 000
4. Forderungen aus Warenlieferungen und Leistungen		88 000
5. Bankguthaben		5 000
6. Kassenbestand		1 000
Summe des Vermögens		**790 000**
II. Schulden		
1. Bankdarlehen		
Hypothekendarlehen Sparkasse	200 000	
Darlehen Dresdner Bank	150 000	
Darlehen LKW Sparkasse	75 000	425 000
2. Verbindlichkeiten aus Warenlieferungen und Leistungen		178 000
3. Sonstige Verbindlichkeiten		2 000
Summe der Schulden		**605 000**
III. Ermittlung des Eigenkapitals		
Summe des Vermögens		790 000
– Summe der Schulden		605 000
= Reinvermögen (Eigenkapital)		**185 000**

■ *Subtrahiert man die Schulden vom Vermögen, so erhält man das Eigenkapital oder den Reinerlös. Ist das Ergebnis negativ, d. h. sind die Schulden größer als das Vermögen, so ist eigentlich kein Eigenkapital mehr vorhanden. Dies ist eine kritische Situation für ein Unternehmen und führt in vielen Fällen zur Auflösung – zwangsweise oder freiwillig.* ■

Den Gewinn durch Inventarvergleich ermitteln

Stehen zwei aufeinander folgende Bilanzen zur Verfügung, so können Sie durch einen Inventarvergleich auch den Unternehmenserfolg ermitteln: Dazu ziehen Sie vom Eigenkapital des aktuellen Inventars das Eigenkapital des vorangegangenen Inventars ab; damit ergibt sich aus der Differenz der Gewinn (positive Differenz) oder der Verlust (negative Differenz). Dabei müssen Sie allerdings auch Privateinlagen und Privatentnahmen berücksichtigen. Ein Beispiel gibt die folgende Tabelle.

Gewinnermittlung durch Inventarvergleich

Eigenkapital Ende des Geschäftsjahres	185 000 €
– Eigenkapital Beginn des Geschäftsjahres	149 000 €
Kapitalzuwachs	**36 000 €**
+ Privatentnahmen	30 000 €
– Privateinlagen	15 000 €
Gewinn	**51 000 €**

Zur Eröffnung wird Bilanz gemacht

Spricht man darüber, dass eine „Bilanz zu ziehen" ist, so meint man in der Regel eine Aufstellung der augenblicklichen positiven und negativen Gegebenheiten und das Abwägen gegeneinander. Wiegt das Positive schwerer, so ist das ein gutes Zeichen; wiegt das Negative schwerer, so ist Anlass zur Veränderung gegeben.

Dieses Bild des Abwägens, der „Waage", liegt auch der Bilanz in der Buchhaltung zugrunde. Der Begriff Bilanz kommt – wie viele andere Begriffe aus der Buchhaltung – aus dem Italienischen: *bilancia* = Gleichgewicht der Waage.

Was steht in der Bilanz?

In der Bilanz werden Vermögen und Schulden eines Unternehmens einander gegenübergestellt. Die Differenz der schwächeren Seite bezeichnet der Buchhalter als Saldo. Steht der Saldo auf der Seite der Schulden, so ist aktives Kapital vorhanden (Eigenkapital). Steht der Saldo aber auf der Seite des Vermögens, so ist passives Kapital – also ein Verlust – entstanden. Entsprechend nennt man die linke Seite der Bilanz auch AKTIVA und die rechte Seite der Bilanz PASSIVA:

- Die Aktivseite (Vermögen) enthält Informationen darüber, wie die Mittel, die dem Unternehmen zur Verfügung stehen, angelegt wurden. Hier erkennen Sie also die Mittelverwendung.
- Die Passivseite (Kapital) gibt Auskunft darüber, wie finanziert wurde; hier erkennen Sie die Mittelherkunft.

So wie im Inventar sind auch in der Bilanz Vermögen nach der Flüssigkeit und Schulden nach der Fälligkeit zu ordnen (§ 266 HGB). Das Handelsgesetzbuch scheibt außerdem die Form der Bilanz sehr genau vor:

- die Bilanz ist in Kontoform aufzustellen
- eine bestimmte Gliederung ist einzuhalten

Kleine Kapitalgesellschaften können eine vereinfachte Gliederung wählen (§ 267 HGB Abs. 1). Unter kleine Kapitalge-

Bilanz

Aktiva	Bilanz zum 31.12.19...		Passiva
I. Anlagevermögen		I. Eigenkapital	185.000,00
1. Bebaute Grundst.	475.000,00	II. Fremdkapital	
2. Betriebsausst.	28.000,00	1. Darlehn	425.000,00
II. Umlaufvermögen		2. Verbindlichkeiten	178.000,00
1. Waren	193.000,00	3. Sonst. Verbindlk.	2.000,00
2. Forderungen...	88.000,00		
3. Bankguthaben	5.000,00		
4. Kasse	1.000,00		
	790.000,00		790.000,00

sellschaften versteht das HGB solche Unternehmen, die mindestens zwei der folgenden drei Kriterien erfüllen:

1. 3 438 000 Euro Bilanzsumme (abzüglich eines Fehlbetrags auf der Aktivseite)
2. 6 875 000 Euro Umsatzerlöse
3. Im Jahresdurchschnitt 50 Arbeitnehmer.

Genau genommen ist die Bilanz nichts anderes als ein kurzgefasstes und etwas anders aufgegliedertes Inventar, dessen Erstellung ebenso vom Gesetzgeber verlangt wird. Sie unterscheidet sich aber dadurch, dass im Inventar Mengen, Einzelwerte und Gesamtwerte aufgeführt werden. In der Bilanz genügt die Aufführung der Gesamtwerte der einzelnen Positionen.

Bei der Bilanzerstellung sind ständig gleiche Bewertungsgrundsätze zu benutzen. Dazu mehr im Kapitel über den Jahresabschluss (ab Seite 89).

Ein wichtiges formales Merkmal für die Bilanz ist, dass sie immer vom Unternehmer unterzeichnet sein muss (§ 245 HGB).

Mehr Informationen zum Thema „Bilanzen" können Sie dem TaschenGuide *Bilanzen lesen* entnehmen.

Wann ist eine Eröffnungsbilanz vorgeschrieben?

Jede doppelte Buchführung beginnt in Form einer Eröffnungsbilanz, die zu Beginn eines neuen Geschäftsjahres aufzustellen ist: Für die Buchführung löst man die Bilanz in Konten auf, auf denen dann die Geschäftsvorfälle festgehalten werden. Bei einem fortlaufenden Unternehmen bildet die Bilanz auch den Abschluss der vorangegangenen Buchungsperiode; in dieser Funktion nennt man sie Schlussbilanz. Schlussbilanz und Eröffnungsbilanz sind demnach identisch.

Dass die Schlussbilanz auch gleichzeitig die Eröffnungsbilanz ist nennt man Bilanzzusammenhang, Bilanzidentität oder formelle Bilanzkontinuität. In den Bewertungsgrundsätzen des HGB ist dies vom Gesetzgeber vorgeschrieben (§ 252 HGB).

Die Bilanz wird auch in kürzeren Zeiträumen, z. B. als Monats- oder Quartalsbilanz erstellt und für bestimmte Zwecke weiterentwickelt, etwa als Bewegungsbilanz, um die Zahlungsströme zwischen zwei Bilanzzeitpunkten darzustellen.

Eine Eröffnungsbilanz ist nicht nur zu Beginn des neuen Geschäftsjahres aufzustellen; der Gesetzgeber fordert sie auch in folgenden Fällen:

- Ein Unternehmen wird neu gegründet.
- Es hat eine Unternehmensumwandlung stattgefunden.
- Ein Unternehmen wechselt den Besitzer.
- Zwei Unternehmen verschmelzen miteinander (Fusion).
- Aus einer Personengesellschaft (OHG oder KG) scheiden Gesellschafter aus.
- Die Rechtsform des Unternehmens wird gewechselt.

Was ist beim Bilanzieren zu beachten?

Bei der Bilanzerstellung können Sie auf die Mengenbeschreibung und Einzelwertauflistungen verzichten. Es genügt, wenn Sie die wesentlichen Gesamtwerte aufführen. Folgende Grundsätze müssen Sie jedoch einhalten (nach HGB § 242):

- Der Grundsatz der **Bilanzwahrheit** besagt, dass man weder etwas weglassen noch etwas hinzufügen darf.
- Der Grundsatz der **Bilanzklarheit** besagt, dass die Bilanz übersichtlich sein und Menschen mit Sachverstand einen Einblick in die Vermögensverhältnisse des Unternehmens geben muss.
- Der Grundsatz der **Bilanzkontinuität** sagt, dass die verschiedenen Bilanzen eines Unternehmens einander in Aufbau und Inhalt entsprechen müssen.

Und noch ein wichtiger formaler Punkt: Als Unternehmer müssen Sie die Bilanz selbst unterschreiben.

Die Bilanz in Konten auflösen

Die laufenden Geschäftsvorgänge hält man nicht in Bilanzen fest, sondern bucht sie auf **Konten**:

- Dazu werden zu Beginn des Geschäftsjahres Konten aus der Bilanz eröffnet.
- Am Schluss des Geschäftsjahres müssen diese Konten wieder in eine Bilanz verwandelt werden; das bedeutet, wenn eine Buchungsperiode beendet ist oder ein Zwi-

schenabschluss erstellt werden muss, werden die Konten abgeschlossen und die Saldi (Endbestände) in eine Schlussbilanz übertragen (dazu mehr im nächsten Kapitel im Abschnitt „Buchen auf Bestandskonten“).

- Diese Schlussbilanz ist dann wieder Ausgangspunkt für die nächste Buchungsperiode.

Buchhaltung und Bilanzerstellung bilden demnach einen fortwährenden Kreislauf. Im Abschnitt „Wie Sie richtig buchen“ finden Sie ein einfaches Beispiel für diesen Ablauf. Doch zunächst zu den Konten.

Soll und Haben – eine zweiseitige Rechnung

Auch das Wort Konto stammt aus dem Italienischen (*conto* = Rechnung). Jedes Konto hat grundsätzlich zwei Seiten: Auf die eine kommen die Einnahmen, auf die andere die Ausgaben – das trifft auch dort zu, wo man nur bedingt von Einnahmen oder Ausgaben sprechen kann. Dabei steht immer auf der linken Seite des Kontos **Soll**, auf der rechten Seite **Haben**.

Es kann jedoch nicht grundsätzlich gesagt werden, dass Soll die Einnahmen und Haben die Ausgaben repräsentieren; beide sind für den Buchhalter nur Platzhalter, denen erst mit der Art des Kontos eine bestimmte Bedeutung zufällt (siehe unten). Es gilt aber immer, dass jede Buchung jeweils mindestens eine Soll-Seite und eine Haben-Seite berühren und die Summe beider Seiten immer gleich sein muss (mehr dazu im nächsten Kapitel: „Wie Sie richtig buchen“).

Was Sie sich auf jeden Fall merken müssen: Auf der linken Seite eines Kontos steht immer Soll, auf der rechten Seite Haben.

Wie Sie die Konten führen

Das Konto kann in Form eines T-Kontos (wie z. B. in der Bilanz) oder in Spaltenform geführt werden. Das T-Konto ist praktisch beim Erlernen der doppelten Buchführung, weil es die Verhältnisse beim Buchen transparenter macht. Das Konto in Spaltenform (je eine Spalte für Soll und Haben) kann in der Praxis aber besser bedient und geführt werden. EDV-Buchhaltungsprogramme drucken Konten in der Regel auch in Spaltenform aus.

Im Gegensatz zum zweiseitigen Konto ist der Kontokorrent eine laufende Rechnung in Listenform (italienisch conto corrente *= laufende Rechnung). Diese Form ist auf den Bankkontoauszügen zu finden.*

Zwei Arten von Konten können Sie prinzipiell unterscheiden:

- Auf Bestandskonten wird in der Buchführung die Bestandsrechnung erfasst. Sie stammen aus der Bilanz und lassen sich unterscheiden in
  - Aktivkonten und
  - Passivkonten.
- Auf Erfolgskonten wird der Unternehmenserfolg erfasst.

Aus der Bilanz kommen die Bestandskonten

Um die Eröffnungsbilanz nun zum Ausgangspunkt einer laufenden Buchhaltung zu machen, müssen Sie alle ihre Posten in einzelne Konten auflösen: Zum Beispiel erhalten Sie aus dem Posten „Warenbestand“ das Konto „Waren“, aus dem Posten „Bankguthaben“ das Konto „Bank“ etc.

Wie ein Bestandskonto aussieht (Lexware Buchhalter)

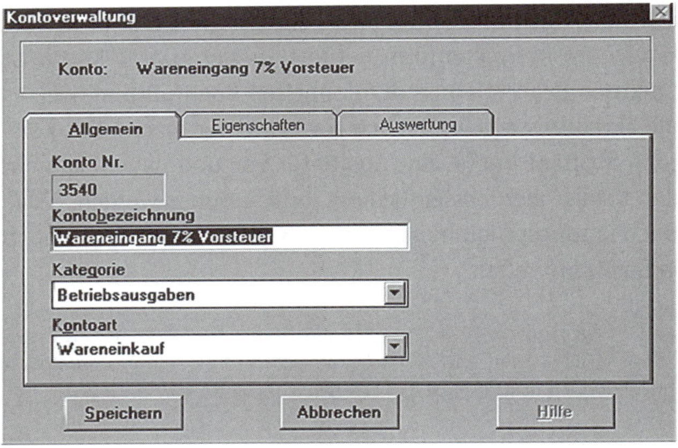

Beispiel für ein Konto aus der Buchhaltung, Lexware Buchhalter

▪ *Die Konten, die aus der Bilanz kommen, nennt man Bilanzkonten oder auch Bestandskonten, da auf ihnen die Bestände des Unternehmens verzeichnet sind (also alles, was inventarisiert werden kann).* ▪

Wo die Anfangsbestände stehen

Die Bestände der Bilanz werden dabei zu Anfangsbeständen auf den Konten. Um zu wissen, auf welche Seite des jeweiligen Kontos Sie die Bestände der Bilanz buchen, müssen Sie darauf achten, von welcher Seite der Bilanz die Konten stammen:

1 Alle Positionen aus der **Aktiv-Seite** der Bilanz (also die Vermögensposten) werden zu Anfangsbeständen auf der **Soll-Seite von Aktivkonten**.

2 Alle Positionen der **Passiv-Seite** (Schulden und Eigenkapital) werden zu Anfangsbeständen auf der **Haben-Seite von Passivkonten**.

Für das weitere Buchen gilt grundsätzlich:

- Bei den Aktivkonten vermehren Zugänge den Anfangsbestand; Sie tragen daher die Zugänge auch im Soll ein. Im Haben tragen Sie die Abgänge ein und ermitteln daraus das Saldo bzw. den Endbestand für die Schlussbilanz.
- Bei den Passivkonten vermehren Zugänge den Anfangsbestand; Zugänge berücksichtigen Sie daher im Haben, Abgänge hingegen auf der Soll-Seite, wo Sie auch das Saldo ermitteln.

■ *Aktivkonten erhalten Sie von der linken Seite der Bilanz (Aktiva). Entsprechend buchen Sie die Anfangsbestände auf die linke Kontoseite, an Soll. Passivkonten erhalten Sie von der rechten Seite der Bilanz (Passiva). Die Anfangsbestände buchen Sie entsprechend auf die rechte Seite, an Haben.* ■

Der Trick mit dem Eröffnungsbilanzkonto

Da die Auflösung der Bilanz eigentlich auch ein Buchungsvorgang ist, scheint das Prinzip der doppelten Buchführung inkonsequent: Eine Buchung Aktiva an Soll ist ja nichts anderes als eine Buchung Soll an Soll. Deshalb wird ein Trick in Form eines Eröffnungsbilanzkontos benutzt:

1 Zunächst übertragen Sie die Eröffnungsbilanz in ein Eröffnungsbilanzkonto. Dabei buchen Sie

- die Aktivposten der Bilanz an Haben des Eröffnungsbilanzkontos und
- Soll des Eröffnungsbilanzkontos an Passivposten der Bilanz.

Dieses Eröffnungsbilanzkonto ist demnach nur eine seitenvertauschte Bilanz.

2 Jetzt kann dieses Eröffnungsbilanzkonto mit „korrekten" Buchungen in einzelne Konten aufgelöst werden.

Bei der zeitgemäßen Buchhaltung mit EDV können Sie diese Buchung in Form von Saldovorträgen durchführen. Intern wird dazu ein Saldovortragskonto benutzt, das eigentlich nichts anderes als ein Eröffnungsbilanzkonto ist. Das richtige Buchen dieser Saldovorträge übernimmt dann das Programm für Sie.

Was sind Erfolgskonten?

Neben den Bestandskonten gibt es aber auch noch die **Erfolgskonten**, auf denen die eigentlichen Unternehmenserfolge sichtbar werden. Hier werden die Erträge und Aufwendungen des Unternehmens gebucht. Sind die Erträge größer als die Aufwendungen, ergibt sich ein Gewinn; sind die Aufwendungen größer, so ergibt sich ein Verlust. Die Zusammenfassung aller Erfolgskonten findet beim Monats- und Jahresabschluss in der **Gewinn- und Verlustrechnung** (GuV-Rechnung) statt. Diese beginnt in jeder Buchungsperiode erneut. Einen direkten Saldovortrag gibt es bei der Gewinn- und Verlustrechnung nicht (mehr dazu ab Seite 52).

Der richtige Rahmen für die Konten

Um die Buchhaltung möglichst einheitlich zu gestalten, wurden so genannte Kontenrahmen definiert, welche die verschiedenen Kontenarten in Gruppen, den so genannten Kontenklassen, zusammenfassen und nummerieren. Es gibt eine ganze Reihe Kontenrahmen für die verschiedenen Wirtschaftszweige wie Einzelhandel, Großhandel, Industrie und Banken. Diese sind allerdings so weit generalisiert, dass jeder Betrieb sich daraus einen individuellen Rahmen zusammensetzen kann.

▪ *In der Regel ist es nötig, auf Basis eines vorhandenen Kontenrahmens einen eigenen Kontenplan zu definieren, da ein bestimmter Rahmen ja nicht gesetzlich vorgeschrieben ist und die vorhandenen Muster nicht für jeden Betrieb gleichermaßen passen.* ▪

Die wichtigsten Kontenrahmen sind:

- EKR: Kontenrahmen des Einzelhandels
- GKR: Kontenrahmen des Großhandels
- IKR: Kontenrahmen der Industrie.

Eine weite Verbreitung haben heute die standardisierten Kontenrahmen der DATEV. Die DATEV ist eine Datenverarbeitungsorganisation der steuerberatenden Berufe in Deutschland. Diese Kontenrahmen sind weniger auf Branchen als auf Unternehmensformen ausgerichtet. Die Wichtigsten sind:

- SKR 01: für kleine Personengesellschaften
- SKR 02: für kleine Kapitalgesellschaften

- SKR 03: wie 01, aber stärker untergliedert
- SKR 04: wie 02, aber stärker untergliedert.

Wie die Kontenrahmen aufgebaut sind

Alle Kontenrahmen sind nach einem Zehnersystem aufgebaut, d.h. in zehn Kontenklassen unterteilt. In diesem TaschenGuide wird der Kontenrahmen SKR 01 benutzt. Die Buchhaltungssystematik ist aber selbstverständlich unabhängig von irgendeinem Kontenrahmen und lässt sich auf jeden anderen übertragen. Den vollständigen SKR 01 Kontenrahmen finden Sie im Anhang abgedruckt (ab S. 114).

Die einzelnen Kontenklassen des SKR 01

Klasse 0: Anlage- und Kapitalkonten, d.h. die Konten für den langfristigen Finanzierungsbereich des Unternehmens
Klasse 1: Finanzkonten, d.h. die Konten für den kurzfristigen Geldverkehr
Klasse 2: Abgrenzungskonten; sie grenzen die Aufwendungen und Erträge, die nicht direkt mit dem Betriebszweck zu tun haben, sachlich vom Betriebserfolg ab
Klasse 3: Warenkonten für den Wareneinkauf und die Warenbestände
Klasse 4: Kostenarten-Konten; hier werden die betriebsnotwendigen Aufwendungen erfasst
Klasse 5: Kostenstellenkonten, soweit eine Kostenstellenrechnung geführt wird. Diese Kontenklasse gehört nicht zur eigentlichen Buchhaltung
Klasse 6: Hier ist beim SKR 01 nichts enthalten. Bei Kapitalgesellschaften (also z.B. in SKR 02) enthält diese Klasse die Konten für das Umsatzkostenverfahren, falls ein entsprechender GuV-Abschluss geführt wird
Klasse 7: Nichts
Klasse 8: Konten für die Umsatzerlöse
Klasse 9: Konten für den Abschluss

Wer sich in einem Kontenrahmen zurechtfindet, kann dies ohne große Umstellung auch in jedem anderen. Dass man sich in solch einem Fall an neue Nummern und Bezeichnungen gewöhnen muss, ändert nichts an der identischen Systematik. Die Schwierigkeiten liegen eher darin, dass der Einzelhandels-Buchhalter mit anderen Buchungsproblemen beschäftigt ist (viel stärkere Fixierung auf das Kassengeschäft) als der Buchhalter in einem Industriebetrieb (Verbuchung der industriellen Leistungserstellung).

Welche Vorteile bieten die Kontennummern?

Warum sollen aber überhaupt Kontennummer benutzt werden? Tatsächlich könnte man auf ein Nummernsystem bei der Buchhaltung verzichten, wenn sie ansonsten nach den Grundsätzen ordnungsmäßiger Buchführung (GoB) geführt wird (z. B. bei der Buchführung im alten Stil). Allerdings sagt der Gesetzgeber: „Die Buchführung muss so beschaffen sein, dass sie einem sachverständigen Dritten innerhalb angemessener Zeit einen Überblick über die Geschäftsvorfälle und über die Lage des Unternehmens vermitteln kann." (§ 238 HGB) Zu individuell und damit unübersichtlich darf also die Buchhaltung nicht gestaltet sein.

Ein Nummernsystem hingegen

- lässt eine übersichtliche und aussagefähige Gliederung der Konten zu,
- erlaubt eine sinnvolle Generalisierung von Kontenzusammenhängen (Kontenrahmen),
- ist für die EDV-Buchführung sogar unerlässlich.

Wie Sie richtig buchen

Was ist ein Buchungssatz?

Jedem Geschäftsvorgang liegt ein Beleg zugrunde, und vor jeder Buchung wird ein Buchungssatz gebildet. Für den erfahrenen Buchhalter in der Praxis besteht der Buchungssatz in einer Eintragung der Konten auf dem Beleg, der anschließend manuell oder per EDV ins Journal aufgenommen wird.

In der allgemeinen Form lautet der Buchungssatz:

SOLL an HABEN, Betrag

wobei Soll für das Konto steht, wo Sie im Soll, und Haben für das Konto steht, wo Sie im Haben buchen. Bevor wir zur eigentlichen Buchungspraxis übergehen, dazu ein Beispiel.

Beispiel

Wie ein Buchungssatz zu lesen ist

Ein einfacher Buchungssatz könnte folgendermaßen aussehen:
Kasse an Bank, 1 000 €.
Hinter diesem knappen Buchungssatz steht folgender Vorgang:
Es wurden 1 000 € in die Kasse gelegt (Buchung auf der Soll-Seite des Kasse-Kontos), die zuvor von der Bank abgehoben wurden (Buchung auf der Haben-Seite des Bank-Kontos).

Es mag zunächst vielleicht verwirren, dass der Betrag bei der Kasse im Soll und bei der Bank im Haben steht, obwohl in die Kasse etwas hineingelegt und bei der Bank etwas weggenommen wurde. Was wie auf den Konten gebucht wird, hängt immer davon ab, um welche Art von Konto es sich handelt. Erinnern wir uns: Bei Aktivkonten werden Zugänge immer im Soll gebucht, die Abgänge im Haben. Bei Passivkonten ist es umgekehrt – dort werden Zugänge im Haben und Abgänge im Soll gebucht. Kasse und Bank sind beides Aktivkonten: Die Kasse (als Schuldner der Bank), hat von dieser den Geldbetrag bekommen, entsprechend findet bei dem Kassenkonto eine Eintragung im Soll statt. Das Bankkonto hat hingegen einen Abgang zu verzeichnen, entsprechend findet die Buchung im Haben statt.

Beim Buchen gehen Sie also folgendermaßen vor:

1. Aufgrund des Belegs bilden Sie einen Buchungssatz. Er gibt an, welche Konten auf welcher Seite berührt werden.
2. Diesen Buchungssatz tragen Sie dann auf dem Beleg ein.
3. Auf dieser Grundlage findet der eigentliche Buchungsvorgang, manuell oder per EDV, statt.
4. Danach kann der Beleg abgelegt werden.

■ *Wenn Sie buchen, heißt das, dass Sie die Bestandskonten verändern. Pro Buchungssatz werden dabei immer mindestens zwei Konten berührt, eines im Soll und eines im Haben. Das heißt, Sie müssen – gemäß der doppelten Buchführung – immer (mindestens) auf zwei Konten Buchungen ausführen, eine im Soll und eine im Haben.* ■

T-Konten Kasse/Bank mit Buchungssatz

S	1000 Kasse		H
AB	180,00		
1200 Bankk	1.000,00		

S	1200 Bank		H
AB	5.000,00	1000 Kasse	1.000,00

■ *Der Buchungssatz nennt die Konten, die von der Buchung berührt werden. An erster Stelle steht das Konto, das im Soll, an zweiter Stelle das Konto, das im Haben berührt wird, in der Form „Soll an Haben".* ■

Wenn mehr als zwei Konten berührt werden

Buchungssätze können auch mehr als zwei Konten berühren. Ein alltäglicher Fall ist die Verbuchung eines Umsatzes mit Mehrwertsteuer – sie berührt drei Konten. Solch ein Buchungssatz sieht z. B. folgendermaßen aus:

Kasse (1 160 €) an Umsatzerlöse 16 % (1 000 €)
und Umsatzsteuer 16 % (160 €)

Konten mit Buchungen mit Umsatzsteuer

S	1000 Kasse		H
AB	180,00		
1200 Bankk	1.000,00		
Umsatz/USt16%	1.160,00		

S	8400 Umsatzerlöse 16 %		H
		1000 Kasse	1.000,00

S	1879 Umsatzsteuer 16 %		H
		1000 Kasse	160,00

In diesem Fall wurde ein Barumsatz getätigt, d. h. ein Kunde hat etwas gekauft und bar bezahlt. Das Geld ist also gleich in die Kasse gekommen. Die Einlage in die Kasse wurde auf der Soll-Seite des Kassenkontos gebucht. Auf der Haben-Seite finden sich zwei Buchungen. Der Nettoumsatz (ohne Umsatzsteuer) kommt auf das entsprechende Umsatzkonto, der Umsatzsteuerbetrag wird auf das zugehörige Umsatzsteuerkonto gebucht. Beide Beträge zusammen entsprechen der Buchung auf der Soll-Seite. (Zur Praxis der zusammengesetzten Buchungssätze mehr ab dem Kapitel „Wie die Umsatzsteuer gebucht wird".)

■ *Auch in den Fällen, in denen mehr als zwei Konten berührt werden, müssen die Beträge der Soll- und Haben-Seite immer gleich sein.* ■

Buchen auf Bestandskonten

Ist die Eröffnungsbilanz in Konten aufgelöst, können Sie auf den Bestandskonten buchen.

■ *Noch einmal zur Erinnerung: Auf Aktivkonten vermehren Zugänge die Anfangsbestände und werden auf der Soll-Seite eingetragen, Abgänge erscheinen auf der Haben-Seite. Bei Passivkonten ist es umgekehrt: Zugänge werden im Haben verzeichnet, Abgänge im Soll.* ■

Beispiel

Das Beispiel von oben soll hier nochmals aufgegriffen werden. So sahen die Konten nach der Auflösung der Eröffnungsbilanz aus:

S	1000 Kasse		H
AB	180,00		

S	1200 Bank		H
AB	5.000,00		

(AB = Anfangsbestand)

Nun werden 1 000 € vom Bankkonto abgehoben und in die Kasse gelegt: 1000 Kasse an 1200 Bank, 1 000 €.

Auf den Konten wird – in der Reihenfolge Soll, dann Haben – die Buchung entsprechend eingetragen. Ein kurzer Verweis auf das Gegenkonto erleichtert die Übersicht und die Suche nach Feldern. Auf den Konten sieht es dann folgendermaßen aus:

S	1000 Kasse		H
AB	180,00		
1200 Bank	1.000,00		

S	1200 Bank		H
AB	5.000,00	1000 Kasse	1.000,00

Wie Sie systematisch vorgehen können

Einige systematische Fragen erleichtern die Erstellung eines Buchungssatzes wesentlich:

1. Welche Konten müssen für den vorliegenden Geschäftsvorgang benutzt werden?
2. Werden Aktiv- oder Passivkonten oder etwa beide benutzt?
3. Auf welchem Konto liegt ein Zugang, und auf welchem Konto liegt ein Abgang vor?

Eigentlich ist es ganz einfach. Dass es verzwickte Buchungsprobleme gibt und solche, die nicht mit einer einfachen Buchung gelöst werden können, ist hier nicht von Bedeutung. Wenn Sie das Prinzip einmal verstanden haben, dann müssen Sie in komplizierten Fällen nur noch das Problem an sich lösen.

Beispiel

In unserem Beispiel wurde das Geld von der Bank geholt, weil eine Nachnahmesendung erwartet wurde; der Postbote brachte die Warensendung eines Lieferanten, die mit 1000 € zu zahlen war. Wie ist nun vorzugehen?

1 Welche Konten müssen benutzt werden?

Ganz sicher wieder die Kasse, denn aus ihr wurde der Postbote bezahlt. Bei der Lieferung handelt es sich um Waren, die anschließend ins Lager gelegt werden. Also kommt hier außerdem ein Warenkonto zum Tragen.

2 Um was für Konten handelt es sich?

Waren und Kasse sind beides Aktivkonten, die aus der linken Seite der Bilanz eröffnet worden sind.

3 Auf welchem Konto liegt ein Zugang, auf welchem ein Abgang vor?

Bei den Waren liegt ein Zugang vor; hier ist also im Soll zu buchen. Die Kasse wurde um den entsprechenden Betrag reduziert (Abgang); damit ist im Haben zu buchen. Der Buchungssatz lautet demnach:
3000 Wareneinkauf an 1000 Kasse, 1 000 €

Auf den Konten sieht die Buchung folgendermaßen aus:

S	1000 Kasse		H
AB	180,00	3000 Wareneinkauf	1.000,00
1200 Bank	1.000,00		

S	3000 Wareneinkauf		H
AB	25.000,00		
1000 Kasse	1.000,00		

Bestandskonten abschließen

Um von der Konto-Buchführung wieder zur Bilanz zu kommen, müssen die Konten abgeschlossen und in die Schlussbilanz übertragen werden. Dazu können Sie folgendermaßen vorgehen:

1 Zunächst ermitteln Sie die größere Seite des Kontos und tragen unter dem Strich die Summe ein. Die Summe wird doppelt unterstrichen, was bedeutet: Das Konto ist abgeschlossen.

2 Die ermittelte Summe übertragen Sie auf die andere Seite des Kontos – beide Kontoseiten müssen ja immer betragsgleich sein.

3 Dann errechnen Sie auf der schwächeren Seite die Differenz zur Summe und tragen diesen Betrag ein. Somit haben Sie den Saldo gebildet.

4 Dieser Saldo kommt nun über eine neue Buchung, die **Abschlussbuchung**, auf ein Schlussbilanzkonto:

Die Salden der **Aktivkonten** werden gebucht:

> Schlussbilanzkonto an Aktivkonto.

Die Salden der Passivkonten werden gebucht:

> Passivkonto an Schlussbilanz.

Beispiel

Im Beispiel sehen die zugehörigen Buchungssätze folgendermaßen aus:
Schlussbilanz an 1000 Kasse, 180 €
Schlussbilanz an 3000 Waren, 26 000 €.

S	**1000 Kasse**		H
AB	180,00	3000 Wareneinkauf	1.000,00
1200 Bank	1.000,00	EB	180,00
	1.180,00		1.180,00

S	**3000 Vareneinkauf**		H
AB	25.000,00	EB	26.000,00
1000 Kasse	1.000,00		
	26.000,00		26.000,00

EB = Endbestand

Der Buchungskreislauf

Hier nun ein einfaches, aber komplettes Beispiel für einen geschlossenen Buchungskreislauf, bei dem die Bilanz in Bestandskonten aufgelöst wird, welche dann nach ihrem Abschluss wieder in die Schlussbilanz übertragen werden.

Beispiel

Der geschlossene Buchungskreislauf

Die Geschäftsvorfälle und die zugehörigen Buchungssätze lauten (der Einfachheit halber ohne Kontonummern):

Es werden Waren auf Ziel gekauft für 2 700 €:
Waren an Verbindlichkeiten, 2 700 €.

Ein Kunde bezahlt seine Rechnung über 4 000 €
durch Banküberweisung:
Bank an Forderungen, 4 000 €.

Wir zahlen eine Lieferantenrechnung über 6 700 €
durch Banküberweisung:
Verbindlichkeiten an Bank, 6 700 €.

Zur Darlehenstilgung wird eine Rate über 2 500 €
per Banküberweisung gezahlt:
Darlehen an Bank, 2 500 €.

Die Pfeile in der nachfolgenden Darstellung verdeutlichen, wie aus der Eröffnungsbilanz die Bestandskonten gebildet werden, wie gebucht wurde und wie die Bestände in die Schlussbilanz gelangen. Mit der Übertragung der Endbestände auf die Schlussbilanz ist der Buchungskreislauf geschlossen. In der nächsten Periode wird die Schlussbilanz als Eröffnungsbilanz übernommen und über das Eröffnungsbilanzkonto wiederum in Konten aufgelöst.

Beispiel: Ein geschlossener Buchungskreislauf

AKTIVA	Eröffnungsbilanz		PASSIVA
Waren	150 000	Eigenkapital	37 200
Forderungen	45 000	Darlehen	100 000
Bank	7 200	Verbindlichkeit	65 000
	202 200		202 200

S	Waren		H
AB	150 000	EB	152 700
Verb.	2 700		
	152 700		152 700

S	Eigenkapital		H
EB	37 200	AB	37 200

S	Forderungen		H
AB	45 000	Bank	4 000
		EB	41 000
	45 000		45 000

S	Darlehen		H
Bank	2 500	AB	100 000
EB	97 500		
	100 000		100 000

S	Bank		H
AB	7 200	Verb	6 700
Ford	4 000	Darl	2 500
		EB	2 000
	11 200		11 200

S	Verbindlichkeiten		H
Bank	6 700	AB	65 000
EB	61 000	Waren	2 700
	67 700		67 700

AKTIVA	Schlussbilanz		PASSIVA
Waren	152 700	Eigenkapital	37 200
Forderungen	41 000	Darlehen	97 500
Bank	2 000	Verbindlichkeit	61 000
	195 700		195 700

Wie kommen Werteveränderungen in der Bilanz zustande?

Jede Buchung führt zu einer Werteveränderung in der Bilanz. Die Bilanz gibt also nach jeder Buchung bzw. nach jedem Geschäftsvorfall ein anderes Bild. Dabei sind vier verschiedene Arten von Veränderungen auszumachen:

- Bei einem **Aktivtausch** verändern sich nur Positionen der Aktivseite. Passivseite und Bilanzsumme bleiben unverändert. Beispiel: Wird eine neue Maschine gegen bar gekauft, so erhöht sich der Betrag bei der Bilanzposition Maschinen, und es verringert sich der Betrag in der Bilanzposition Kasse.
- Bei einem **Passivtausch** verändern sich nur Positionen der Passivseite. Aktivseite und Bilanzsumme bleiben unverändert. Beispiel: Das Darlehen eines Freundes wird in eine Beteiligung und damit in Eigenkapital umgewandelt.
- Bei einer **Aktiv-Passiv-Mehrung** werden Positionen der Aktiv- und Passivseite erhöht. Die Bilanzsumme erhöht sich ebenfalls. Beispiel: Es werden Waren auf Ziel gekauft (Verbindlichkeiten).
- Bei einer **Aktiv-Passiv-Minderung** werden Positionen der Aktiv- und Passivseite vermindert. Beispiel: Die Banküberweisung an einen Lieferanten verringert sowohl das Bankkonto als auch die Verbindlichkeiten.

Sie müssen immer darauf achten, dass das Gleichgewicht der Bilanz erhalten bleibt. Kein Geschäftsvorfall darf zu einem Ungleichgewicht der beiden Bilanzseiten (Aktiva – Passiva) führen.

Auswirkungen auf die Bilanz erkennen und Fehler vermeiden

Da die Bilanz in Konten aufgelöst wurde, bevor die Buchungsarbeit beginnen konnte, spiegeln sich diese Werteveränderungen nicht direkt in der Bilanz wider. Es ist aber hilfreich zur Vermeidung von Buchungsfehlern, sich die Auswirkungen einer Buchung auf die Bilanz bewusst zu machen, und es trägt nicht unerheblich zum Verständnis der Buchführung bei. Hier wird auch die Frage zur Vorbereitung einer Buchung (Seite 33) aus dem zweiten Abschnitt deutlich.

■ *Wenn Sie beim Buchen die Art des Kontos – Aktiv- oder Passivkonto – beachten, können Sie Fehler bei der Buchung vermeiden.* ■

Kosten und Erlöse buchen

Bisher wurde die Buchführung als Bestandsrechnung dargestellt. Buchungen auf Bestandskonten führen zwar zu Veränderungen in der Bilanz, nicht aber zu einem Erfolg – es werden dabei weder Gewinn noch Verlust ausgewiesen. Tatsächlich lässt sich dies auf den Bestandskonten auch nicht darstellen.

In einem Unternehmen findet jedoch selbstverständlich auch ein Werteverzehr sowie ein Wertezuwachs statt. Solche Geschäftsvorfälle werden ebenfalls durch Buchungen festgehalten, und zwar auf den so genannten „Erfolgskonten".

■ *Den Werteverzehr nennt man Aufwand, eine gängigere Bezeichnung dafür ist Kosten. Den Wertezuwachs nennt man Ertrag oder Erlös.* ■

Wie Sie auf Erfolgskonten buchen

Jeder Geschäftsvorfall, der einen Aufwand oder Ertrag bewirkt, verändert (indirekt) das Kapitalkonto. Betriebsbedingte Aufwendungen schmälern das Kapital und stellen einen Verlust dar, Erträge erhöhen das Kapital, führen zu einem Gewinn.

Weil jedoch höchst unterschiedliche Geschäftsvorfälle zu Kosten oder Erlösen führen, und damit nicht jedesmal beim Buchen das Kapitalkonto berührt werden muss, richtet man hierfür Erfolgskonten ein. Sie können sich diese Konten als Unterkonten des Kapitalkontos vorstellen. Zu unterscheiden sind dabei

- **Aufwandskonten**, zum Beispiel Gehaltskonten, Mietkonten oder das Konto Allgemeine Verwaltungskosten. Auf ihnen verzeichnen Sie betrieblich bedingte Kapitalminderungen.
- **Ertragskonten**, zum Beispiel Verkaufserlöse oder Nebenerlöse aus Vermietung. Auf ihnen werden betrieblich bedingte Kapitalerhöhungen bzw. Einnahmen gebucht.

Und so buchen Sie richtig:

- Da das Eigenkapitalkonto ein Passivkonto ist, werden Anfangsbestand und Zugänge auf der Haben-Seite gebucht, Abgänge in das Soll. Der Saldo steht ebenfalls im Soll, um dann als Gegenbuchung im Haben (bzw. der Aktiva) der Bilanz zu erscheinen.
- Auf Erfolgskonten buchen Sie dementsprechend: Erträge kommen auf die Haben-, Aufwendungen auf die Soll-Seite.

Beispiel

Buchung auf einem Aufwandskonto

Ein erfolgsrelevanter Vorgang ist die Zahlung der Miete durch Banküberweisung. Die Mietzahlung ist ein Aufwand und steht daher im Soll. Der Buchungssatz dazu lautet:
Miete an Bank

Buchung auf einem Ertragskonto

Ebenfalls erfolgsrelevant, jedoch als Einnahme, ist ein Nebenerlös aus einer Miete. Der Buchungssatz lautet folglich:
Bank an Nebenerlöse aus Miete

▪ *Erfolgskonten sind Unterkonten des Kapitalkontos, die Kosten und Erlöse sichtbar machen; auf ihnen werden die Geschäftsvorgänge unter dem Aspekt des Erfolgs gebucht.* ▪

Wie Sie Erfolgskonten abschließen

Sämtliche Erfolgskonten werden in der Gewinn- und Verlustrechnung (GuV) abgeschlossen. Mit dem Ergebnis der GuV erhalten Sie dann den Betriebserfolg. Dieser fließt in die Bilanz ein, und zwar über das Eigenkapitalkonto.

▪ *Die Gewinn- und Verlustrechnung ist neben dem Betriebsvermögensvergleich die zweite Form der Gewinnermittlung. Alle Unternehmen, die zur doppelten Buchführung verpflichtet sind, müssen im Rahmen des Jahresabschlusses eine Gewinn- und Verlustrechnung vornehmen (§ 242 HGB).* ▪

In der Praxis wird die Schlussbuchung der Erfolgskonten über das **Konto Gewinn- und Verlustrechnung** vorgenommen. Und so schließen Sie die Erfolgskonten ab:

1 Ermitteln Sie den Saldo von jedem Konto (dabei gehen Sie so vor wie beim Abschluss der Bestandskonten). Den Saldo weisen Sie als „GuV" aus.

2 Die Salden buchen Sie dann auf das Gewinn- und Verlustkonto.

Bei den Aufwandskonten buchen Sie:

Gewinn- und Verlustkonto an Aufwandskonto

Bei den Ertragskonten buchen Sie:

Ertragskonto an Gewinn- und Verlustkonto

3 Auf dem GuV-Konto bilden Sie ebenfalls die Summe der stärkeren Seite und ermitteln den Saldo. Den Saldo weisen Sie als „Eigenkapital" (Gewinn) aus, wenn er auf der Soll-Seite steht, als „Verlust", wenn er auf der Haben-Seite steht.

4 Diesen Saldo buchen Sie schließlich auf das Eigenkapitalkonto. Die Abschlussbuchungen lauten entsprechend:

- bei Gewinn:

Gewinn- und Verlustkonto an Kapitalkonto

- bei Verlust:

Kapitalkonto an Gewinn- und Verlustkonto

Sind die Erlöse größer als die Kosten, wird ein Gewinn ausgewiesen. Sind die Erlöse kleiner als die Kosten, so ist ein Verlust entstanden. Der Gewinn wird immer auf der Soll-Seite der Gewinn- und Verlustrechnung (per Saldo) ausgewiesen der Verlust auf der Haben-Seite.

Zu diesem Vorgang finden Sie ein einfaches Beispiel auf der folgenden Seite. Es stellt den wünschenswerten Fall dar, dass nach Abzug aller Kosten noch etwas übrig bleibt: der Gewinn.

Wie die Umsatzsteuer gebucht wird

Auch die Verbuchung von Steuern gehört zum Alltag des Buchhalters. Allen voran spielt die Umsatzsteuer (Mehrwertsteuer) bei den meisten Geschäftsvorfällen eine wichtige Rolle. Die Buchhaltung liefert in diesem Zusammenhang etwa die Daten, die für die Umsatzsteuervoranmeldung relevant sind. Hinzu kommen noch weitere Unternehmenssteuern, die jedes Unternehmen abhängig von der Rechtsform ein- bis mehrmals im Jahr betreffen.

Was ist die Umsatzsteuer?

Die Umsatzsteuer ist keine gewinnbezogene Steuer, sondern wird auf die Einnahmen aus der unternehmerischen Tätigkeit erhoben. Das Prinzip der Umsatzsteuer beruht darauf, dass auf jeder Produktions- oder Handelsstufe nur der Wert besteuert wird, der dem Produkt durch Weiterverarbeitung oder Weiterveräußerung zugeführt wird – daher auch die Bezeichnung **Mehrwertsteuer**. Dies wird durch die Regelung

Beispiel: Von den Erfolgskonten über die GuV zum Eigenkapitalkonto

S	Miete		H
	20 000	GuV	20 000
	20 000		20 000

S	Verkaufserlöse		H
GuV	180 000	GuV	180 000
	180 000		180 000

S	Personal		H
	80 000	GuV	80 000
	80 000		80 000

S	Allg. Verwalt. Kosten		H
	22 000	GuV	22 000
	22 000		22 000

Soll	**Gewinn- und Verlustrechnung**		**Haben**
Miete	20 000	Verkaufserlöse	180 000
Personalkosten	80 000		
Allg. Verw. Kosten	22 000		
Gewinn	58 000		
	180 000		180 000

S	Eigenkapital		H
EB	148 000	AB	90 000
		GuV	58 000
	148 000		148 000

des Vorsteuerabzugs recht einfach gehandhabt. Der letzte in der Kette, der Verbraucher, zahlt dann beim Kauf den Bruttobetrag – die Umsatzsteuer wird also im Prinzip an den Endverbraucher weitergegeben.

■ *Die Umsatzsteuer ist für das Unternehmen kostenneutral. Es handelt sich um eine Verbrauchssteuer.* ■

Wie Sie die Vorsteuer abziehen

Jeder darf von seiner Umsatzsteuerschuld, die sich aus den Umsatzerlösen ermittelt, den Teil der Umsatzsteuer, den er selbst im Zusammenhang seiner betrieblichen Tätigkeit gezahlt hat (Umsatzsteuer auf Rohstoffe, Betriebsstoffe, Handelsware etc.), von der Steuerschuld abziehen. Diese Steuer nennt man **Vorsteuer**. In der Umsatzsteuervoranmeldung können Sie bereits den Vorsteuerabzug vornehmen.

Beispiel

August 2001	**Betrag**	**USt.**
1 Umsatzerlöse brutto darin enthalten 16 % USt.	406 000 €	 56 000 €
2 Einkauf Handelswaren darin enthalten 16 % USt.	243 600 €	 33 600 €
3 Sonstige Kostenrechnungen darin enthalten 16 % USt.	20 880 €	 2 880 €
4 Sonstige Kostenrechnungen darin enthalten 7 % USt.	9 630 €	 630 €
5 Vorsteuer gesamt (Pos. 2 bis 4)		37 110 €
Umsatzsteuerschuld USt mit VSt verrechnet (Pos.1 .\. Pos. 5)		**18 890 €**

Welche Rechtsvorschriften sind wichtig?

Niedergelegt sind die Bestimmungen zur Umsatzsteuer im

- Umsatzsteuergesetz (UStG),
- den Umsatzsteuer-Richtlinien (UStR),
- den Umsatzsteuerdurchführungsverordnungen (UStDV).

Neben den genannten Gesetzen, Richtlinien und Verordnungen gibt es noch zahlreiche Verwaltungserlasse zu dieser Steuer.

Was überhaupt der Umsatzsteuer unterliegt, steht in §1 des UStG:

- Lieferungen und sonstige Leistungen, die ein Unternehmer im Inland gegen Entgelt im Rahmen seines Unternehmens ausführt.
- Eigenverbrauch im Inland.
- Lieferungen und sonstige Leistungen, die Körperschaften und Personenvereinigungen an ihre Anteilseigner, Gesellschafter, Mitglieder, Teilhaber oder diesen nahe stehenden Personen ausführen, für die die Leistungsempfänger kein Entgelt aufwenden (im Klartext also: wenn Unternehmen an diese Personen etwas verschenken).
- Einfuhr in das Zollgebiet (hier heißt die Umsatzsteuer dann: Einfuhrumsatzsteuer).

Wer ist umsatzsteuerpflichtig?

Wer ist nun alles Unternehmer im Sinne des Umsatzsteuergesetzes, und was sind Lieferungen und Leistungen?

- Ein Unternehmer ist, wer eine gewerbliche oder berufliche Tätigkeit selbständig ausübt. Gewerblich oder beruflich ist jede nachhaltige Tätigkeit zur Erzielung von Einnahmen, auch wenn die Absicht, Gewinn zu erzielen, fehlt oder eine Personenvereinigung nur gegenüber ihren Mitgliedern tätig wird. (§ 2 UStG)
- Lieferungen sind Leistungen, durch die der Unternehmer – oder in seinem Auftrag ein Dritter – den Abnehmer oder in dessen Auftrag einen Dritten befähigt, im eigenen Namen über einen Gegenstand zu verfügen. (§ 3 UStG)

Lediglich Kleinunternehmer, deren Umsatz zuzüglich der darauf entfallenen Steuer im vorangegangenen Kalenderjahr 16 620 € nicht überstiegen hat und im laufenden Kalenderjahr voraussichtlich 50 000 € nicht übersteigen wird, sind von der Umsatzsteuer befreit. Votieren sie dennoch für die Umsatzsteuer, sind sie für fünf Jahre daran gebunden. (§ 19, Abs. 1 und 2 UStG)

Die Zahlungszeiträume beachten

Die erzielte Umsatzsteuer muss innerhalb einer bestimmten Frist an das Finanzamt abgeführt werden. Jeder Unternehmer ist verpflichtet, binnen 10 Tagen nach Ablauf des Kalendermonats, im so genannten **Voranmeldezeitraum**, eine Umsatzsteuervoranmeldung auf einem entsprechenden Vordruck abzugeben und die Zahlung zu leisten. Nach Ende des Kalenderjahres ist dann eine Umsatzsteuererklärung (bis zum 31.5.) abzugeben, die ggf. die Voranmeldung korrigiert oder bestätigt. Beträgt die Umsatzsteuer des Vorjahrs aber nicht mehr als 6 136 €, so ist nicht der Monat, sondern das Kalendervierteljahr Voranmeldezeitraum. (§ 18 UStG)

Die Frist zur Abgabe der Umsatzsteuererklärung kann mittels einer Dauerfristverlängerung um einen Monat verlängert werden. Für Betriebe oder Personen, die nur quartalsweise zur Abgabe verpflichtet sind, lohnt sich das ganz besonders dann, wenn keine Sondervorauszahlungen nötig sind. Für alle anderen gilt, dass bei einer **Dauerfristverlängerung** eine Sondervorauszahlung zu Beginn des Kalenderjahres zu leisten ist, die 1/11 der Summe der Vorauszahlungen des vorangegangenen Kalenderjahres entspricht (§§ 46 – 48 UStDV).

Zahlungen an das Finanzamt sind relativ zügig zu leisten. Nicht ganz so zügig geht meist der umgekehrte Weg.

Welche Steuersätze es gibt und wie Sie die Beträge ermitteln

Sieht man von einigen Sonderfällen ab, so gibt es in der Bundesrepublik drei wesentliche Steuersätze (in anderen Ländern ist dies unterschiedlich geregelt):

- Die Steuerbefreiung von 0 %. Die wichtigsten Steuerbefreiungen sind: Ausfuhrlieferungen, Lohnveredelung für ausländische Auftraggeber, Umsätze im Geld- und Kapitalverkehr, Grundstücksumsätze, Vermietungs- und Verpachtungsumsätze, Umsätze im medizinischen Bereich.
- Ermäßigter Steuersatz von zurzeit 7 %; er ist hauptsächlich auf bestimmte Gegenstände bezogen (Lebensmittel, Bücher, Holz, Vieh- und Pflanzenzucht, Tierzucht, Künstlerische Leistungen).

- Allgemeiner Steuersatz von zurzeit 16 %; dieser Steuersatz gilt im Wesentlichen für Lieferungen und Leistungen, Eigenverbrauch und Einfuhren.

Auch die Steuerbefreiung ist in der Buchhaltung als ein Steuersatz, und zwar von 0 %, anzusehen. Umsätze, die steuerbefreit sind, müssen in den Steuererklärungen ausgewiesen werden.

Wenn die Steuer aus den Belegen herausgerechnet werden muss, können Sie sie relativ leicht aus den Netto- bzw. Bruttobeträgen ermitteln. In den meisten Fällen ist sie aber ohnehin gesondert ausgewiesen

Bei **Nettobeträgen** rechnen Sie:

$$\text{Umsatzsteuer } 16\,\% = \text{Nettobetrag} \times \frac{16}{100}$$

$$\text{Umsatzsteuer } 7\,\% = \text{Nettobetrag} \times \frac{7}{100}$$

Bei **Bruttobeträgen:**

$$\text{Umsatzsteuer } 16\,\% = \text{Bruttobetrag} \times \frac{16}{116}$$

$$\text{Umsatzsteuer } 7\,\% = \text{Bruttobetrag} \times \frac{7}{107}$$

In der Regel werden die Bruttopreise (inkl. Mehrwertsteuer) angegeben. In Angeboten an gewerbliche Kunden können aber auch Nettopreise (exkl. Mehrwertsteuer) angegeben werden.

Auf welchen Konten gebucht wird

Da die Umsatzsteuer an das Finanzamt abgeführt werden muss, müssen Sie in der Buchhaltung Konten für diese Steuer einrichten.

Theoretisch könnte man alle Umsatzsteuerbuchungen (Vorsteuer und Mehrwertsteuer) über ein Konto laufen lassen. Am Ende käme schon das korrekte Ergebnis – die Zahllast an das Finanzamt – heraus (soweit keine Fehler gemacht wurden). Dieses Vorgehen ist aber nicht praktikabel, da es keine Übersichtlichkeit gewährt und eine Fehlersuche erschwert.

Deshalb wird in der Buchhaltung sowohl ein Konto für die Vorsteuer als auch für die Umsatzsteuer eingerichtet. Das Vorsteuerkonto schließt man dann über das Umsatzsteuerkonto ab und ermittelt so die Zahllast.

Beispiel

Buchungs- und Abschlusstechnik im Zusammenhang mit der Umsatzsteuer

Die Geschäftsvorfälle und die zugehörigen Buchungssätze lauten:

Wareneinkauf auf Ziel, 15 000 €, netto:
3100 Handelswaren, 15 000 € und
1579 Vorsteuer, 2 400 €
an 1610 Verbindlichkeiten a.L.L., 17 400 €

Warenverkauf auf Ziel, 22 000 €, netto:
1410 Forderungen, 25 520 €
an 8400 Warenverkauf, 22 000 € und
an 1879 Umsatzsteuer, 3 520 €

Abgeschlossen wird die Vorsteuer (Haben) über das Umsatzsteuerkonto (Soll):
1879 Umsatzsteuer, 2 400 €
an 1579 Vorsteuer, 2 400 €.

3100 Handelswaren

S			H
1610	15.000,00		

8400 Warenverkauf

S			H
		1410	22.000,00

1579 Vorsteuer

S			H
1610	2.400,00	1879	2.400,00
	2.400,00		2.400,00

1879 Umsatzsteuer

S			H
1579	2.400,00	1410	3.520,00
Zahllast	1.120,00		
	3.520,00		3.520,00

1610 Verbindlichkeiten

S			H
		1610/1879	17.400,00

1410 Forderungen

S			H
8400/1879	25.520,00		

Der Saldo von 1 120 €, der sich auf dem Konto 1879 Umsatzsteuer ergibt, ist die Zahllast an das Finanzamt.

Diese Form der Umsatzsteuerverbuchung wird auch als **Nettoverfahren** bezeichnet. Das **Bruttoverfahren** verzichtet auf eine Einzelberechnung der Umsatzsteuer. Hier werden alle Beträge brutto auf den entsprechenden Konten verbucht und erst zum Ende des Voranmeldungszeitraums aus den Konten herausgezogen.

> ■ *Das Bruttoverfahren ist nur sinnvoll bei kleineren Betrieben mit wenigen Rechnungen bzw. im Einzelhandel, in dem die Umsatzsteuer noch nicht gesondert herausgerechnet wird.* ■

Die Umsatzsteuer ist natürlich nicht nur bei Warenbuchungen zu berücksichtigen. Jede Rechnung, die in einem Unternehmen anfällt, ist auf Umsatzsteuer hin zu prüfen. Darüber hinaus müssen Sie auch innerbetriebliche Vorgänge hinsichtlich einer Umsatzbesteuerung untersuchen.

Wenn zum Abschluss noch Zahlungen ausstehen

Es kann vorkommen, dass zu einem Abschlusszeitpunkt (Monats-, Quartals-, Jahresende) noch eine Zahllast an das Finanzamt offen steht oder vom Finanzamt noch Zahlungsüberhänge zu erwarten sind. Dann schließen Sie die Zahllast an das Finanzamt über das Konto **Sonstige Verbindlichkeiten**, den Zahlungsüberhang über das Konto **Sonstige Forderungen** in der Bilanz ab (siehe auch Kapitel „Der Jahresabschluss" im Abschnitt „Wie Sie Abgrenzungen vornehmen").

Beispiel

Das o. a. Beispiel wird demnach folgendermaßen fortgeführt:
1879 Umsatzsteuer 1 120 €
an 1800 Sonstige Verbindlichkeiten, 1 120 €.

Wenn die Steuer dann an das Finanzamt gezahlt wird:
1800 Sonstige Verbindlichkeiten, 1 120 € an 1200 Bank, 1 120 €.

Falls die Zahlung vor Bilanzabschluss nicht mehr erfolgt, wird das Konto Sonstige Verbindlichkeiten – und damit auch die darauf noch enthaltene Umsatzsteuerschuld an das Finanzamt – über die Schlussbilanz abgeschlossen:
1800 Sonstige Verbindlichkeiten an Schlussbilanz.

▪ *Die Verbuchung der Zahllast auf Sonstige Verbindlichkeiten nennt man auch Passivierung (nach der Passivseite der Bilanz, auf der hier gebucht wird), die Verbuchung des Überhangs auf Sonstige Forderungen nennt man auch Aktivierung (nach der Aktivseite der Bilanz).* ▪

Wie Sie die sonstigen Unternehmenssteuern buchen

Neben der Umsatzsteuer gibt es noch zahlreiche andere Unternehmenssteuern, die Sie in der Buchhaltung berücksichtigen müssen. Man unterscheidet grundsätzlich in:

- Aktivierungspflichtige Steuern, z. B. Grunderwerbsteuer
- Aufwandsteuern, u. a. Gewerbesteuer, Kfz-Steuer, Wechselsteuer
- Personensteuern: Einkommen- und Kirchensteuer, Vermögenssteuer, Körperschaftssteuer.

So gehen Sie vor

Aktivierungspflichtige Steuern sind kein Aufwand, sondern Anschaffungsnebenkosten. Sie erhöhen den Wert einer Sache. So verbuchen Sie etwa die Grunderwerbssteuer folgendermaßen:

0020 Grund und Boden unbebaut an 1200 Bank

Abgeschlossen werden die aktivierungspflichtigen Steuern über die Bilanz.

Aufwandsteuern sind Aufwendungen des Unternehmens, die den Gewinn mindern oder den Verlust vergrößern. Sie gehen in die Kalkulation der Erzeugnisse ein. Mindern sie den Gewinn, wird dadurch der Aufwand an Personensteuern geringer. Als erfolgsbeeinflussende Steuern müssen Sie die Aufwandsteuern auf Erfolgskonten buchen. Bei Kfz-Steuern etwa gehen Sie folgendermaßen vor:

4510 Kfz-Steuer an 1200 Bank

Aufwandsteuern werden dann über die Gewinn- und Verlustrechnung abgeschlossen.

Personensteuern betreffen die Person des Unternehmers und werden über das Privatkonto abgeschlossen. Man nennt diese Steuern deshalb auch Privatsteuern. Sie dürfen nicht den steuerpflichtigen Gewinn mindern und sind aus dem Gewinn zu zahlen. Die Buchung der Einkommensteuer für den Unternehmer lautet:

1900 Privatkonto an 1200 Bank

oder

1910 Privatsteuern an 1200 Bank

Das Konto Privatsteuern schließen Sie über das **Privatkonto** ab. („Der richtige Umgang mit dem Privatkonto", ab Seite 86)

Kapitalgesellschaften (z. B. AG oder GmbH) zahlen keine Einkommensteuer, dafür aber **Körperschaftssteuer.** Da bei Kapitalgesellschaften kein Privatkonto vorhanden ist, wird über ein Konto in der Klasse 2 (Abgrenzungskonten) zwischengebucht. Auch hier findet dann ein Abschluss über das Gewinn- und Verlustkonto statt.

Die **Vermögenssteuer** kann sowohl bei Personen- als auch bei Kapitalgesellschaften anfallen. Entsprechend wird dann auch gebucht: im ersten Fall über das Privatkonto, im zweiten Fall über ein Konto in der Klasse 2.

Richtig buchen im Waren- und Zahlungsverkehr

An reiner Buchungstechnik ist jetzt kaum noch etwas zu vermitteln. Allerdings soll an den verschiedenen Geschäftsvorfällen gezeigt werden, wie in der Unternehmenspraxis in der Regel verfahren wird.

Worum geht es im Warenverkehr?

Die Warenkonten gehören in den Unternehmen aus Einzelhandel, Großhandel und Industrie sicherlich zu den wichtigsten Konten überhaupt. Schließlich dreht sich ja der ganze Geschäftsverkehr um die Waren, die hergestellt, weiterverarbeitet oder gehandelt werden.

Warenbewegungen sind:

- der Einkauf von Waren (Warenbestand nimmt zu)
- der Verkauf von Waren (Warenbestand nimmt ab)
- der Warenbestand wird korrigiert, z. B. nach einer Inventur (der Buchbestand nimmt zu oder ab)
- Ware wird entnommen, z. B. für Muster oder Eigenverbrauch (Bestand nimmt ab).

Warenverkäufe sind nicht erfolgsneutral. In der Regel bewirken sie einen positiven Erfolg (Ertrag), wenn sie über dem Einstandspreis verkauft werden. Gelegentlich kann es aber auch vorkommen, dass ein negativer Erfolg (Verlust) eintritt, wenn ein Verkauf unter dem Einstandspreis erfolgt.

Warenbewegung und Kalkulation

Der normale Vorgang einer Warenbewegung ist folgender:

1. Die Ware wird zu einem bestimmten Preis gekauft (**Warenpreis**).
2. Dazu kommen Kosten, die nötig sind, die Ware zu besorgen (**Bezugskosten**).
3. Beides zusammen ergibt den **Einstandspreis** (auch **Bezugspreis**).
4. Über einen **Zuschlag** auf den Bezugspreis wird versucht, möglichst alle anfallenden Kosten (Lagerkosten, Verwaltungskosten, Vertriebskosten etc.) abzudecken.
5. Außerdem wird ein **Gewinnzuschlag** gerechnet.
6. Einstandspreis plus der aufgeführten Kalkulationszuschläge ergeben den **Verkaufspreis**.

Beispiel

Kalkulation

	Einkaufspreis Mountain Bike	475,00 €
+	Bezugskosten (Fracht etc.)	67,50 €
	Einstandspreis	542,50 €
+	Allgemeiner Kostenzuschlag 15 %	83,38 €
+	Gewinnzuschlag 25 %	135,62 €
	Verkaufspreis	761,50 €

Die Kalkulation von Waren ist Thema der **Kostenträgerrechnung**, genauer der Kostenträger-Stückrechnung. Sie ist selten so einfach durchzuführen, wie das im obigen Beispiel dargestellt ist, und es ist auch nicht Aufgabe des Buchhalters, Kalkulationen vorzunehmen. Zum Verständnis der Buchungsvorgänge und insbesondere für die Bewertung im Warenbereich ist es aber nützlich, wenn Sie über Grundkenntnisse der Kalkulation verfügen.

Welche Konten es gibt

Wenn die Waren zu anderen Preisen verkauft werden, als sie eingekauft wurden, dann kann nicht mehr direkt aus der Buchhaltung ersehen werden, was mengen- und wertmäßig im Lager liegt. Deshalb werden drei Arten von Konten geführt:

- Warenbestandskonten
- Wareneingangskonten
- Warenverkaufskonten

Wareneingangskonten und Warenverkaufskonten schließen Sie über das Gewinn- und Verlustkonto ab. Aus der Differenz ergibt sich der Rohgewinn (oder der Rohverlust).

Das Warenbestandskonto wird durch die Inventur (einmal oder mehrmals jährlich) korrigiert und über die Bilanz abgeschlossen. Für eine aussagefähige Buchhaltung sollte diese Bestandskorrektur monatlich vorgenommen werden.

Zur Aufstellung der Bilanz müssen die Warenbestände außerdem bewertet werden. Warenbestände und Wareneingang werden in der Buchhaltung zum Einstandspreis bewertet; d. h. zur Wertermittlung wird der Warenpreis plus aller Bezugskosten, aber ohne Kalkulationszuschläge herangezogen (§ 253 HGB). Wird Ware aus dem Ausland bezogen, so ist außerdem der tagesaktuelle Kurs zu berücksichtigen.

■ *Außerdem verlangt der Gesetzgeber eine vorsichtige Bewertung der Vermögensgegenstände: „... namentlich sind alle vorhersehbaren Risiken und Verluste, die bis zum Abschlussstichtag entstanden sind, zu berücksichtigen, selbst wenn diese erst zwischen dem Abschlussstichtag und dem Tag der Aufstellung des Jahresabschlusses bekannt geworden sind ..." (§252 HGB).* ■

Wie werden Warenbewegungen gebucht?

Nun zur eigentlichen Buchungspraxis.

- **Wareneingänge** buchen Sie auf **Wareneingangskonten.** Abhängig von der Zahlung werden als Gegenkonto Verbindlichkeiten (Kauf auf Ziel/Rechnung) oder Geldkonten (Bank, Kasse, Postbank) benutzt.

- **Warenverkäufe** buchen Sie über das **Warenverkaufskonto.** Als Gegenkonto werden Forderungen (Lieferung auf Ziel/Rechnung) oder Geldkonten (Bank, Kasse, Postbank, Wechsel) benutzt.

Beispiel

Wareneinkauf

Der Kauf von Waren für 30 000 € exkl. 16 % MWSt. auf Ziel (Rechnung) führt zu folgender Buchung:
3000 Wareneinkauf, 30 000 € und
1579 Vorsteuer, 4 800 €
an 1610 Verbindlichkeiten aus Lieferungen und Leistungen, 34 800 €.

Warenverkauf

Der Verkauf von Waren für 17 500 € exkl. 7 % MWSt auf Ziel (Rechnung) führt zu folgender Buchung:
1410 Forderungen aus Lieferungen und Leistungen, 18 725 €
an 8300 Umsatzerlöse 7 %, 17 500 € und
1876 Umsatzsteuer 7 %, 1 225 €.

Was sind Nebenkosten und wie werden sie gebucht?

In der Praxis fallen neben dem reinen Warenpreis beim Kauf eines Produktes oder Rohstoffs weitere Kosten an, die so genannten Warenbezugskosten. Das sind je nach Fall:

- Transportkosten
- Zölle
- Vermittlungsgebühren
- Mindermengenzuschläge
- Versicherungen.

Der Gesetzgeber spricht in diesen Fällen von Anschaffungsnebenkosten und legt in § 255 HGB fest, dass diese Nebenkosten zu den Anschaffungskosten gerechnet werden, auch für den Fall, dass diese erst nachträglich auftreten.

Gebucht werden diese Kosten auf einem besonderen Konto in der Gruppe der Warenkonten, dem **Bezugskonto**. Abgeschlossen wird das Bezugskonto über das **Wareneingangskonto**, es handelt sich also um ein Unterkonto des Wareneingangkontos.

Beispiel

Buchung von Warenbezugskosten

Eine Warenrechnung enthält die Posten: 300 € Warenwert (netto), Mindermengenzuschlag 10 % auf den Nettopreis, Verpackungskosten 10 € (netto), Transportversicherung 5 €. Der Transporteur kassiert bei der Anlieferung 10 € brutto. Das ergibt drei Buchungssätze:

3000 Wareneinkauf, 300 € und
1579 Vorsteuer, 48 €
an 1610 Verbindlichkeiten aus L.u.L., 348 €

3700 Bezugskosten, 45 € und
1579 Vorsteuer, 7,20 €
an 1610 Verbindlichkeiten aus L.u.L., 52,20 €

3700 Bezugskosten, 8,62 € und
1579 Vorsteuer, 1,38 €
an 1000 Kasse, 10 €

Die vorbereitende Abschlussbuchung lautet:
3000 Wareneinkauf an 3700 Bezugskosten

Wann Sie Nebenkosten beim Verkauf separat buchen müssen

Ähnlich wie beim Wareneinkauf können auch beim Warenverkauf Nebenkosten entstehen. Wenn sich diese auf den Kunden abwälzen lassen, so entstehen Verkaufserlöse. Werden diese Nebenkosten aufgrund von Verträgen und Lieferbedingungen aber selbst getragen, müssen sie separat gebucht werden. Auch Provisionen gehören zu den Warenverkaufsnebenkosten. Die Konten dazu finden sich in der Gruppe 4 (Kostenarten) des Kontenrahmens.

Beispiel

Nebenkosten des Warenverkaufs

In Rechnung gestellt werden: Warenverkauf 5 000 € netto, Pauschale für Versandkosten 20 € (netto); die Kosten für Verpackungsmaterial 15 € brutto, werden selbst übernommen. Die Buchungen lauten:

1410 Forderungen, 5 823,20 €
an 8400 Umsatzerlöse, 5 020 € und
1879 Umsatzsteuer 16 %, 803,20 €

4710 Verpackungsmaterial, 12,93 € und
1579 Vorsteuer 16 %, 2,07 €
an 1000 Kasse, 15 €

Wie werden Rücksendungen und Gutschriften gebucht?

Immer wieder kann es vorkommen, dass Waren zurückgeschickt werden, sowohl von Kunden an das buchende Unternehmen, als auch von diesem an Lieferanten. Oder es werden Gutschriften ausgestellt, weil die Ware nicht dem Angebot entspricht, teilweise wertgemindert war oder aus sonstigen Gründen. Damit auch solche Vorgänge transparent werden, müssen Sie sich in der Buchhaltung auch damit auseinander setzen.

Beim **Wareneinkauf** können Sie direkt auf das Wareneinkaufskonto buchen oder ein Unterkonto des Wareneinkaufskonto einrichten, welches dann über dieses abgeschlossen werden muss.

Auf der **Warenverkaufsseite** buchen Sie ebenfalls direkt auf eines der Umsatzkonten oder erstellen ein Unterkonto dazu.

Beispiel

Gutschrift eines Lieferanten

Ein Lieferant schickt eine Gutschrift über 10 % auf eine vorausgegangene Lieferung über 25 000 € (netto), da die Ware beim Transport durch unsachgemäße Verpackung gelitten hat. Und so buchen Sie:

1610 Verbindlichkeiten aus L.u.L., 2 900 €
an 3000 Wareneinkauf, 2 500 € und
1579 Vorsteuer, 400 €

Gutschrift für einen Kunden

Ein Kunde sendet Waren zurück. Es werden ihm 870 € (brutto) gutgeschrieben. Dann sieht die Buchung so aus:

8400 Umsatz 16 %, 750 € und
1879 Umsatzsteuer 16 %, 120 €
an 1410 Forderungen, 870 €

Daran müssen Sie denken: Rücksendungen und Gutschriften berühren nicht nur die Warenkonten (Wareneingang und Umsatz), sondern auch die jeweiligen Umsatzsteuerkonten.

Wie werden Rabatte und Boni gebucht?

Bei Rabatten hat es der Buchhalter leicht; sie dürfen sofort abgezogen werden. Eine Buchung auf ein gesondertes Konto erübrigt sich somit.

Beispiel

Rabattbuchung

Waren für 5 000 € (netto) werden gekauft. Darauf wird ein Rabatt von 5 % gewährt:

3000 Wareneingang, 4 750 € und
1579 Vorsteuer, 760 €
an 1610 Verbindlichkeiten aus L.u.L., 5 510 €

Etwas komplizierter ist die Behandlung der so genannten Boni. Dabei handelt es sich um nachträglich gewährte Rabatte; etwa einen umsatzbezogenen Rabatt am Jahresende. Diese Boni verändern die Verkaufs- bzw. Einkaufspreise und damit die Bemessungsgrundlage für die Umsatzsteuer. Deshalb ist hierbei eine zusätzliche Buchung nötig. Falls keine speziellen Unterkonten für solche Nachlässe eingerichtet wurden, buchen Sie ebenfalls über das Wareneinkaufs- oder Umsatzkonto.

Beispiel

Bonus-Buchung

Ein Kunde bekommt einen Bonus von 2 % auf den Umsatz von 500 000 € (netto):

8400 Umsatz, 10 000 € und
1879 Umsatzsteuer 16 %, 1 600 €
an 1410 Forderungen, 11 600 €

Welche Abschlussbuchungen sind für Warenkonten nötig?

Bei der Inventur (siehe auch Seite 25) wird der Warenbestand gezählt, bewertet und gebucht. Es können folgende Situationen eintreten:

- Der Endbestand ist höher als der Anfangsbestand. Das Lager wurde aufgebaut. Es wurde also mehr eingekauft als verkauft. Man spricht auch von einer **Warenbestandsmehrung.** Gebucht wird in diesem Fall:

3996 Warenbestand an 3000 Wareneingang

- Der Endbestand ist niedriger als der Anfangsbestand. Das Lager wurde abgebaut. Es wurde also mehr verkauft als eingekauft. Man spricht auch von einer **Warenbestandsminderung.** Gebucht wird in diesem Fall:

3000 Wareneingang an 3996 Warenbestand

Auf dem Wareneingangskonto ergibt sich der so genannte Wareneinsatz. Das sind die Waren, die dann auch tatsächlich verkauft wurden. Aus der Differenz zwischen dem Warenverkauf und dem Wareneingangskonto kann der Rohertrag ermittelt werden. So geht man allerdings in der Praxis nicht vor. Gebucht wird über das Gewinn- und Verlustkonto.

Das Warenbestandskonto wird über die Schlussbilanz (Aktiva) abgeschlossen:

Schlussbilanzkonto an 3996 Warenbestand

Das Skonto berücksichtigen

Die bezogenen oder gelieferten Waren müssen natürlich auch bezahlt werden. Bei diesen Zahlungsvorgängen gibt es eine Reihe von Details, die Sie berücksichtigen müssen. So etwa das Skonto, den ein Lieferant dem Unternehmen einräumt.

Beispiel

Ein Lieferant schreibt auf die Rechnung: „Zahlungsziel 30 Tage netto, 2 % Skonto bei Zahlung innerhalb von 8 Tagen." Zwei Prozent Abzug von der Rechnung sind nicht wenig, da lohnt sich sogar die Überziehung des eigenen, zinspflichtigen Kontos.

Wie wird das nun gebucht? Skonto wird in den Kontenklassen **Warenkonten** bzw. **Warenverkaufskonten** gebucht. In der Regel schafft man dazu Unterkonten der jeweiligen Wareneingangs- bzw. Umsatzkonten. Es ist aber auch üblich, Skonto in der Klasse 2 (Abgrenzungskonten) zu buchen. In beiden Fällen findet ein Abschluss über die Gewinn- und Verlustrechnung statt. Da Skonto nachträglich – also erst bei der Zahlung – gebucht wird, entsteht zusätzlicher Buchungsaufwand.

Beispiel

Erhaltenes Skonto

Eine bereits verbuchte Rechnung an das Unternehmen wird mit Skontoabzug gezahlt. Der Rechnungsbetrag lautet 17 400 €, 2 % Skonto davon sind 348 €. Aus diesem Betrag müssen Sie noch die Umsatzsteuer herausrechnen = 48 €. Die Buchung sieht dann folgendermaßen aus:

1610 Verbindlichkeiten aus L.u.L., 17 400 €
an 1200 Bank, 17 052 € und
2627 erhaltene Skonti, 300 € und
1579 Vorsteuer, 48 €

Gewährtes Skonto

Ein Kunde zahlt eine Rechnung über 13 920 € nach 7 Tagen mit Abzug von 1 % Skonto.

1200 Bank, 13 780,80 € und
2127 gewährte Skonti, 120 € und
1879 Umsatzsteuer 16 %, 19,20 €
an 1410 Forderungen aus L.u.L., 13 920 €

■ *Bei Skonti-Buchungen müssen Sie daran denken, dass auch eine Korrektur der Umsatzsteuer stattfinden muss. Bei Warenlieferungen müssen Sie den Vorsteuerabzug korrigieren, bei Warenumsätzen die Umsatzsteuer verringern.* ■

Wie wird in der Buchhaltung mit Rückbuchungen verfahren?

Es kann immer wieder vorkommen, dass beispielsweise beim Einzug per Lastschrift eine Zahlung nicht akzeptiert wird. Dabei können unterschiedliche Gründe vorliegen:

- Die Bank akzeptiert den Einzug nicht, weil das Konto nicht ausreichend gedeckt ist.
- Die Bank akzeptiert den Einzug nicht, weil er unvollständig oder ungenau ist.
- Der Kontoinhaber akzeptiert den Einzug nicht und widerspricht, die Bank lässt den Einzug zurückgehen.
- Das Konto existiert nicht (mehr).

In den meisten Fällen ist es aber so, dass bereits eine Buchung vorgenommen wurde. Diese ist nun zu korrigieren.

Beispiel

Rückbuchung mit Bankgebühren

Aufgrund einer vorliegenden Einzugsermächtigung wurde von einem Kundenkonto der Betrag von 3 210 € abgebucht. Drei Tage später belastet die Bank das Konto wieder mit diesem Betrag, weil ein Widerspruch der Bank des Kunden erfolgt ist. Außerdem wird das Konto mit 10 € Gebühren belastet. Die zwei Buchungen sehen folgendermaßen aus:

1200 Bank, 3 210 €
an 1410 Forderungen aus L.u.L., 3 210 €
1410 Forderungen aus L.u.L., 3 220 €
an 1200 Bank, 3 220 €

Die Bankgebühren erhöhen die Forderungen an den Kunden. Sollte allerdings die Rücklastschrift durch einen eigenen Fehler veranlasst worden sein (z. B. durch Angabe einer falschen Bankleitzahl), können die Stornogebühren nicht an den Kunden weiterberechnet werden. Dann sind sie auf einem Nebenkonto als eigene Kosten zu buchen:

1410 Forderungen aus L.u.L., 3 210 €
4970 Nebenkosten des Geldverkehrs, 10 €
an 1200 Bank, 3 220 €

Was ist ein Wechsel und wie wird er gebucht?

Beim Kauf von Waren treffen zwei unterschiedliche Interessen aufeinander. Der Lieferant möchte möglichst früh sein Geld haben, da er ja Vorleistung auf unterschiedliche Weise erbracht hat – er hat die Waren auf eigene Kosten hergestellt, weiterverarbeitet oder beschafft. Der Abnehmer möchte möglichst spät bezahlen, da er ja noch für den Absatz der Waren sorgen muss und das Geld von seinen Kunden erst später bekommt. In solchen Fällen ist der Wechsel eine Lösung, die beide Interessen ausgleicht.

■ *Der Wechsel ist eine Urkunde, in der sich ein Schuldner, der Bezogene, schriftlich verpflichtet, an einem genau definierten Tag und Ort einen bestimmten Geldbetrag an eine bestimmte Person, den Aussteller, zu zahlen.* ■

Der Wechsel entstand im 12. Jahrhundert in Italien. Die Kaufleute wollten das Risiko, ihr Geld auf Reisen durch Raub und Unfall zu verlieren, vermindern. Deshalb hinterlegten sie Geld bei einem Geldwechsler oder einer Bank und bekamen darüber eine Urkunde, den „Wechselbrief", mit dem sie in einer fremden Stadt den darauf vermerkten Geldbetrag eintauschen konnten.

Der Wechsel ist aber nicht nur Zahlungsmittel bei einem Warengeschäft, sondern vor allem auch ein kurzfristiges Finanzierungsmittel. Wenn der Gläubiger nicht wartet, bis der Schuldner nach Vorlage seines Wechsels bezahlt, so kann er den Wechsel selbst zur Zahlung an seinen Lieferanten weiterreichen oder zu einer Bank gehen, um den Wechsel einzureichen und sich den Wechselbetrag auszahlen zu lassen (Diskontierung). In beiden Fällen wird eine Gebühr und ein Zinsabschlag (Diskont) fällig.

■ *Im Wechselverkehr besteht eine weitestmögliche Rechtssicherheit. Kann der Bezogene (der Schuldner) die Wechselsumme nicht rechtzeitig aufbringen, so kann der Wechsel relativ schnell eingeklagt werden. Dabei haftet nicht nur der Bezogene, sondern alle, die den Wechsel weitergegeben haben (die Indossanten).* ■

Wie ein Wechsel gezogen wird

1 Der Schuldner erhält Ware von seinem Lieferanten, der für ihn so zum Gläubiger wird.

2 Der Gläubiger übersendet einen Wechsel (die so genannte Tratte) an den Schuldner.

3 Der Schuldner versieht den Wechsel mit seiner Unterschrift, d. h. er akzeptiert ihn (daher: Akzept) und sendet ihn an den Gläubiger (den Aussteller) zurück.

4 Am Tag der Fälligkeit wird der Wechsel vom Gläubiger (oder einem Indossanten) vorgelegt.

5 Der Schuldner zahlt den Wechselbetrag, oder der Wechsel geht zu Protest.

Ein Wechsel muss bestimmten Formvorschriften genügen. So muss er die Bezeichnung „Wechsel" im Text der Urkunde enthalten, die Anweisung, eine bestimmte Geldsumme zu zahlen, Angaben zum Bezogenen, zur Verfallszeit, zum Zahlungsort, zum Ausstellungstag und -ort, zum Remittenten (an den oder an dessen Order zu zahlen ist) und schließlich die Unterschrift des Ausstellers. Fehlt die Verfallszeit, gilt der Wechsel als Sichtwechsel und ist zahlbar, wenn er vorgelegt wird. Fehlen Zahlungs- oder Ausstellungsort, geht der Gesetzgeber dann vom angegebenen Ort (bei Bezogenem oder Aussteller) aus. Fehlt irgendeine andere Angabe, so ist der Wechsel jedoch ungültig.

Beispiel

Buchungen bei Wechselgeschäften

1. Mit einem Lieferanten wird die Zahlung einer Rechnung über 20 880 € mit einem 3-Monats-Wechsel vereinbart:
1610 Verbindlichkeiten aus L.u.L., 20 880 €
an 1710 Schuldwechsel, 20 880 €

Am Verfallstag legt der Gläubiger den Wechsel über seine Bank zur Zahlung vor, die dann auch ausgeführt wird:
1710 Schuldwechsel, 20 880 €
an 1200 Bank, 20 880 €

2. Ein Kunde bittet um Zahlung für eine Rechnung über 29 000 € gegen Wechsel. Er bekommt eine Tratte und akzeptiert diese:
1310 Besitzwechsel, 29 000 €
an 1410 Forderungen aus L.u.L., 29 000 €

Einen Monat vor Ablauf der drei Monate wird der Wechsel an die Bank zum Diskont gegeben. Der Diskontsatz beträgt 8 %.

Wechselbetrag	29 000,00 €
.\. Diskont 8 % für 30 Tage	193,33 €
Auszahlungsbetrag	28 806,67 €

Durch den Diskontabzug wird der Rechnungsbetrag nachträglich gemindert; deshalb ist auch eine Umsatzsteuerkorrektur vorzunehmen. Gebucht wird:
1200 Bank 28 806,67 €
2130 Diskontaufwendungen, 166,66 €
1879 Umsatzsteuer 16 %, 26,67 €
an 1310 Besitzwechsel, 29 000 €

3. Angenommen, der Wechsel aus dem 2. Beispiel wird vom Kunden nicht eingelöst und geht zu Protest. Für die Protesturkunde entstehen Kosten in Höhe von 50 €. Die Bank belastet das Konto zusätzlich mit 20 €. Dann sehen die zwei Buchungen folgendermaßen aus:
1720 Protestwechsel, 29 000 €
an 1200 Bank, 29 000 €
4970 Nebenkosten des Geldverkehrs, 70 € und
1579 Vorsteuer 16 %, 11,20 €
an 1200 Bank, 81,20 €

An den Kunden werden zusätzlich zu den Protestkosten eigene Auslagen (10 €) und Verzugszinsen (10 % für 15 Tage von 29 000 € = 120,84 €) in Rechnung gestellt:
1410 Forderungen aus L.u.L., 29 212,04 €
an 1720 Protestwechsel 29 000 € und
an 2700 Sonstige Erträge 91,20 € und
an 2600 Zinserträge 120,84 €

Wie Sie Personalbuchungen durchführen

Fast jedes Unternehmen benötigt Personal, das für die verschiedensten Tätigkeiten eingesetzt wird. Mitarbeiter und Mitarbeiterinnen bekommen für ihre geleistete Arbeit Lohn oder Gehalt. Diese Aufwendungen sind auf entsprechend eingerichteten Erfolgskonten zu buchen. Dabei ist es mit einem Konto für die Lohn- und Gehaltszahlungen heute nicht mehr getan. Der Arbeitgeber hat für seine Arbeiter und Angestellten die Pflichtversicherungsbeiträge (Renten-, Kranken- und Arbeitslosenversicherung) abzuführen und auch einen Teil davon zu übernehmen. Beiträge zur Unfallversicherung sind sogar in voller Höhe vom Arbeitgeber zu bezahlen. Außerdem wird die Lohnsteuer vom Arbeitgeber direkt an das Finanzamt abgeführt. Bei Personalbuchungen werden Konten berührt wie:

- Gehälter
- Sonstige Verbindlichkeiten aus Steuern
- Sonstige Verbindlichkeiten aus Sozialversicherungen
- Gesetzliche soziale Aufwendungen.

Beispiel

Eine vereinfachte Gehaltsabrechnung

Name: Peter Schmidt

Steuerklasse: III, Kinder: 1

Bruttogehalt	2 800,00 €
- Lohnsteuer	178,50 €
- Kirchensteuer	14,28 €
- Sozialversicherung (Arbeitnehmeranteil)	495,60 €
Nettogehalt	**2 111,62 €**
Sozialversicherung (Arbeitgeberanteil)	495,60 €

Gebucht wird zunächst das Bruttogehalt, die Gehaltsauszahlung an den oder die Arbeitnehmer/in sowie die zurückgehaltenen Steuern und Versicherungen:
4120 Gehälter, 2 800 €
an 1200 Bank, 2 111,62 €
an 1801 Sonstige Verbindlichkeiten aus Steuern, 192,78 €
an 1802 Sonstige Verbindlichkeiten aus Sozialvers., 495,60 €

Der zusätzlich fällige Arbeitgeberanteil an den Sozialversicherungen wird folgendermaßen gebucht:
4130 Gesetzl. Soziale Aufwendungen, 495,60 €
an 1802 Sonstige Verbindlichkeiten aus Sozialvers., 495,60 €

Werden dann die Beträge an das Finanzamt und die Sozialversicherung (Arbeitnehmer- und Arbeitgeberanteil) überwiesen, wird gebucht:
1801 Sonstige Verbindlichkeiten aus Steuern, 192,78 €
1802 Sonstige Verbindlichkeiten aus Sozialvers., 991,20 €
an 1200 Bank 1183,98 €

Einen Vorschuss buchen

Von den Besonderheiten in diesem Bereich ist der **Vorschuss** und seine buchungstechnische Behandlung interessant. Dabei kommt das Konto **Forderungen an Personal** zum Tragen.

Beispiel

Wurden vor der eigentlichen Gehaltsauszahlung 500 € an Peter Schmidt ausgezahlt, so muss zunächst die Auszahlung gebucht werden:
1530 Forderungen an Personal, 500 €
an 1000 Kasse, 500 €

Die Buchung bei der Gehaltsabrechnung sieht dann folgendermaßen aus:
4120 Gehälter, 2 800 €
an 1200 Bank, 1611,62 €
an 1530 Forderungen an Personal, 500 €
an 1801 Sonstige Verbindlichkeiten aus Steuern, 192,78 €
an 1802 Sonstige Verbindlichkeiten aus Sozialvers., 495,60 €

Die vermögenswirksamen Leistungen buchen

Eine weitere Variante sind die so genannten vermögenswirksamen Leistungen nach dem Vermögensbildungsgesetz. Hier sind verschiedene Varianten in der Praxis zu finden:

- Der Arbeitgeber zahlt einen Betrag zur vermögenswirksamen Leistung – es erhöhen sich die Aufwendungen für Personal.
- Der Arbeitnehmer zahlt einen Betrag zur vermögenswirksamen Leistung – das Nettogehalt des Arbeitnehmers reduziert sich.
- Beide, Arbeitnehmer und Arbeitgeber, zahlen einen Teil – die Personalaufwendungen erhöhen sich, das Nettogehalt reduziert sich aber ebenfalls.

Der richtige Umgang mit dem Privatkonto

Einzelfirmen und Personengesellschaften

Ein Privatkonto gibt es eigentlich nur bei Einzelfirmen und bei Personengesellschaften. Es dient dazu, dass Einlagen und Entnahmen des Unternehmer und/oder der Gesellschafter richtig verbucht werden können. Für ein Einzelunternehmen reicht die Führung eines Kontos, über das alle Buchungen laufen, aus. Bei einem kleinen Einzelunternehmen genügen folgende drei Unterkonten:

- Allgemeine Privatentnahmen
- Privatsteuern
- Privateinlagen.

Bei einer Personengesellschaft mit mehreren Gesellschaftern sollten Unterkonten für verschiedene Vorgänge angelegt werden. In Personengesellschaften sollte auch für jeden Gesellschafter ein eigenes Privatkonto (mit entsprechenden Unterkonten) angelegt werden. Im SKR 01 (DATEV) (siehe Anhang) sind z. B. vier Privatkonten vorgesehen:

- 1900 Privat
- 1910 Privatsteuern
- 1980 Eigenverbrauch
- 1990 Einlagen.

Was wird auf den Privatkonten gebucht?

Grundsätzlich sind zwei Arten von Vorgängen auf dem Privatkonto zu unterscheiden:

- Privatentnahmen und
- Privateinlagen.

Privateinlagen werden vorgenommen, um das Eigenkapital zu erhöhen, oder wenn ein neuer Gesellschafter überhaupt erstmals einzahlt.

Für Privatentnahmen sind verschiedene Vorgänge denkbar:

- Geldentnahmen (z. B. für den Lebensunterhalt)
- Auszahlung von Kapitalanteilen (z. B. bei ausscheidenden Gesellschaftern)
- Eigenverbrauch oder unentgeltliche Lieferungen und sonstige Leistungen.

Achtung: Auch bei Eigenverbrauch und unentgeltlichen Lieferungen müssen Sie die Umsatzsteuer berücksichtigen.

Beispiel

Der Übersicht halber werden alle Buchungen direkt auf dem Privatkonto durchgeführt.

Erhöhung des Gesellschaftskapitals

Der Geschäftsführer nimmt eine Einzahlung auf das Bankkonto über 5 000 € vor, um das haftende Gesellschaftskapital um diese Summe zu erhöhen:
1200 Bank, 5 000 €
an 1900 Privat, 5 000 €

Entnahmen zu Privatzwecken

Der Unternehmer entnimmt Waren zum Eigenverbrauch über 290 €:
1900 Privat, 290 €
an 8910 Eigenverbrauch, 250 € und
1879 Umsatzsteuer, 40 €

Der Geschäftsführer entnimmt einen Firmen-PKW komplett für private Zwecke. Der Buchwert beträgt 10 000 €, der Tageswert dagegen 12 500 €:

1980 Eigenverbrauch 12 500 €
an 0310 PKW, 10 000 € und
2030 Buchgewinn aus Anlagenabgängen, 2 500 €

Das Privatkonto schließen Sie über das Konto Eigenkapital ab. Wenn die Ausgaben die Einlagen übersteigen, lautet der Buchungssatz:

0800 Eigenkapital an 1900 Privat

Übersteigen die Einlagen die Ausgaben, wird gebucht:

1900 Privat an 0800 Eigenkapital.

Der Jahresabschluss

Was zum Abschluss und zur Ergebnisrechnung dazugehört

Die Buchhaltung ist ein Kreislauf. Sie beginnt mit der Eröffnungsbilanz und endet mit der Schlussbilanz; dazwischen werden die Geschäftsprozesse durch die laufenden Buchungen festgehalten.

Im Abschnitt „Wie Sie richtig buchen" wurden immer wieder Hinweise gegeben, wie bestimmte Konten und Kontengruppen abzuschließen sind. Nun ist es allerdings nicht so, dass am Ende einer Buchungsperiode (meistens eines Geschäftsjahres) einfach alle Konten abgeschlossen und die Gewinn- und Verlustrechnung sowie die Schlussbilanz aufgestellt werden können. Vorher ist noch eine ganze Reihe von zusätzlichen Aufgaben zu lösen.

Dabei geht es um:

- Abschreibungen,
- Zeitliche Abgrenzungen,
- Rückstellungen,
- Bewertung,
- Gewinnverwendung.

Einige dieser Aufgaben müssen nicht unbedingt erst kurz vor Jahresabschluss erledigt werden, sondern können in den Buchungsalltag integriert werden. Das hat den Vorteil, dass der Aufwand für den Abschluss geringer wird, Ergebnisaussagen zu jedem Zeitpunkt möglich sind und das Jahresergebnis permanent genauer wird.

Was heißt hier „abgeschrieben"?

Der Wert bestimmter Anlagen oder Betriebseinrichtungen, Maschinen und Fahrzeuge eines Unternehmens wird durch Abnutzung, natürlichen Verschleiß, aber auch technische Überalterung im Laufe der Jahre immer geringer. Diese Wertminderung muss im betrieblichen Rechnungswesen erfasst werden, denn sie bedeutet eine Veränderung der Vermögenslage des Unternehmens. Durch die **Absetzung für Abnutzung (AfA)**, auch **Abschreibungen** genannt, wird die erwartete Wertminderung in der Buchhaltung festgehalten und fließt in die Bilanz ein. Daher spricht man auch von **bilanzieller Abschreibung.**

> ■ *Auch der Gesetzgeber verlangt eine planmäßige Abschreibung der Anschaffungskosten in § 253 HGB.* ■

Durch Abschreibungen

- erfassen Sie planmäßig buchhalterisch und bilanziell die Wertminderung derjenigen Vermögensgegenstände aus dem Anlagevermögen, die in der Nutzung zeitlich begrenzt sind,
- verteilen Sie die Anschaffungs- oder Herstellungskosten auf die Nutzungsjahre,
- bestimmen Sie den Restwert eines Anlageguts,

- erzielen Sie einen steuerlichen Vorteil, da die Abschreibungen als Aufwand gebucht werden und in die Gewinn- und Verlustrechnung einfließen.

Neben dieser planmäßigen, bilanziellen Abschreibung gibt es auch noch die kalkulatorische Abschreibung, die in Kalkulation und Kosten- und Leistungsrechnung eine Rolle spielt, um die Selbstkosten zu ermitteln. Sie erfasst die tatsächlich eingetretene Wertminderung der Anlagegüter.

Was wird abgeschrieben?

Wenn von Abschreibungen gesprochen wird, sind in der Regel die Abschreibungen auf Sachanlagen gemeint, die in der Bilanz im Anlagevermögen erfasst sind. Dort gibt es jedoch zwei Arten von Sachanlagen, die Sie unterschiedlich behandeln müssen:

- Sachanlagen mit zeitlich nicht begrenzter Nutzung, z. B. Grundstücke, werden nicht regelmäßig abgeschrieben.
- Sachanlagen mit zeitlich begrenzter Nutzung (abnutzbare Anlagegüter) unterliegen der planmäßigen AfA.

Abschreibungen sind allerdings nicht nur bei Sachanlagen, sondern auch bei anderen Vermögensgegenständen möglich:

- auf Finanzanlagen (z. B. Beteiligungen an anderen Unternehmen) sowie
- auf Forderungen und Warenbestände.

Diese Fälle werden im Abschnitt „Bewertungen sind notwendig" (ab Seite 102) näher behandelt.

Wie Sie Abschreibungen vornehmen können

Bei der Abschreibung verteilen Sie die Anschaffungskosten auf die Geschäftsjahre, in denen das Anlagegut genutzt wird, und setzen den jährlichen Betrag als Aufwand ab. Dafür gibt es verschiedene Methoden:

- **Lineare Abschreibung:** Das Anlagegut wird mit gleichbleibenden Beträgen abgeschrieben. Dabei werden die Anschaffungskosten durch die Anzahl der Nutzungsjahre geteilt.
- **Degressive Abschreibung** (geometrisch-degressive): Das Anlagegut wird mit veränderlichen, fallenden Beträgen, die prozentual vom Restwert berechnet werden, abgeschrieben. Am Anfang sind die Abschreibungsbeträge hoch, zum Schluss werden sie immer niedriger. Neben der geometrisch-degressiven gibt es auch noch eine arithmetisch-degressive Methode, die aber steuerrechtlich nicht erlaubt ist. Die degressive Gebäudeabschreibung soll allerdings mit Beginn des Jahres 2007 komplett abgeschafft werden, so dass Gebäude nur noch mit jährlich zwei Prozent linear steuerlich abgesetzt werden können.
- **Progressive Abschreibung:** Das Anlagegut wird mit veränderlichen steigenden Beträgen abgeschrieben.
- **Leistungsabschreibung:** Als Abschreibungsgrundlage wird die Leistung des Anlagegutes berücksichtigt (z. B. gefahrene Kilometer bei Lkws).

Im TaschenGuide *Kaufmännisches Rechnen* finden Sie ausführlichere Informationen und Beispiele zu den verschiedenen Abschreibungsmethoden.

Eine Besonderheit sind die so genannten geringwertigen Wirtschaftsgüter (GWG). Wenn der Anschaffungsbetrag 410 € nicht überschreitet, besteht Bewertungsfreiheit (§ 6 EStG). Dann darf der volle Betrag sofort komplett, also innerhalb eines Jahres, abgeschrieben werden, auch wenn die voraussichtliche Nutzungsdauer länger ist.

Welche Methoden wählen?

Das HGB schreibt keine bestimmte Abschreibungsmethode vor, verlangt aber, dass die Anschaffungs- oder Herstellungskosten nach einer den Grundsätzen ordnungsmäßiger Buchführung entsprechenden Abschreibungsmethode ermittelt und auf die voraussichtliche Nutzungsdauer verteilt wird (§ 253 HGB). Das Einkommensteuerrecht hingegen lässt nur die lineare und geometrisch-degressive Abschreibung zu (§ 7 EStG). Die lineare Abschreibung hat sich als die gängigste Form durchgesetzt.

Sie können zwischen linearer und geometrisch-degressiver Abschreibung wählen. Von der degressiven können Sie zur linearen Abschreibung wechseln, aber nicht umgekehrt. Bei hohem Gewinn empfiehlt sich die degressive Abschreibung. Ist der Gewinn nicht so hoch, und erwarten Sie in Zukunft eine bessere Entwicklung, empfiehlt sich die lineare Abschreibung.

So buchen Sie richtig

Abschreibungen werden im Konto Abschreibungen als Aufwand gebucht. Die Gegenbuchung findet auf dem Konto Geschäftsausstattung statt.

Beispiel

Buchungspraxis bei linearer Abschreibung

Am 15.7. wird eine neue EDV-Anlage angeschafft, für 52 200 € brutto. Die Buchung der Anschaffung wird sofort vorgenommen:

0450 Geschäftsausstattung 45 000 € und
1579 Vorsteuer, 7 200 €
an 1200 Bank, 52 200 €

Es soll linear abgeschrieben werden. Die voraussichtliche Nutzungsdauer der Anlage beträgt 5 Jahre. Der Abschreibungsbetrag beträgt demnach für 1 Jahr: 45 000 € : 5 Jahre = 9 000 €. Da die EDV-Anlage erst im Juli angeschafft wurde, werden für dieses erste Jahr auch nur 6 Monate (Juli – Dezember) berücksichtigt, das sind 4 500 €. Der Buchungssatz zum 31.12. lautet:
4860 Abschreibungen, 4 500 €
0450 Geschäftsausstattung, 4 500 €

Was sind Sonderabschreibungen?

Im Normalfall tritt die Wertminderung planmäßig und regelmäßig ein. Wird etwa ein PKW für den Außendienst ständig genutzt, so verliert er im Laufe der Zeit und je nach Einsatz an Wert, was durch die lineare oder Leistungsabschreibung erfasst werden kann. Es kann aber auch zu einer außerordentlichen Abnutzung bzw. größeren Wertminderung kommen, wenn der PKW etwa bei einem Unfall beschädigt oder ganz zerstört wird. Dann wird der Wertverlust als außerplanmäßige oder **Sonderabschreibung** auf dem Konto „Außerordentliche Aufwendungen" erfasst.

Beispiel

Erleidet eine EDV-Anlage durch Stromnetzstörungen einen starken Schaden (von 10 000 € netto), der von keiner Versicherung übernommen wird, so ist folgendermaßen zu buchen:
2000 Außerordentliche Aufwendungen, 10 000 €
an 0450 Geschäftsausstattungen, 10 000 €.

Wenn Anlagegegenstände verkauft werden

Werden Anlagegegenstände vor ihrer kompletten Abschreibung verkauft, müssen Sie beim Buchen den nach der Abschreibung verbleibenden Restwert berücksichtigen (Buchwert). Je nachdem, ob der Verkaufserlös über oder unter dem Buchwert liegt, ergibt sich ein Buchgewinn oder -verlust. Diese Gewinne oder Verluste buchen Sie auf die Konten **Buchgewinn** oder **Buchverlust.** Sie finden über die Gewinn- und Verlustrechnung Eingang in die Ergebnisrechnung.

Beispiel

Verkauf von Anlagegegenständen zum Buchwert

Wir führen das Beispiel von oben fort. Nach drei Jahren (= 2 1/2 Abschreibungen) hat die EDV-Anlage, die zu 52 200 € angeschafft wurde, einen (Rest-)Buchwert von 22 500 €. Wird sie nun zu diesem Buchwert verkauft, gibt es keine Besonderheiten bei der Verbuchung, nur die Umsatzsteuer müssen Sie natürlich wieder berücksichtigen:
1200 Bank, 26 100 €
an 0450 Geschäftsausstattung, 22 500 € und
1879 Umsatzsteuer 16 %, 3 600 €

Verkauf mit Buchgewinn

Wird die EDV-Anlage hingegen über dem Buchwert verkauft, nämlich zum Preis von 25 000 € (netto), bedeutet dies einen Gewinn. Dann bucht man diesen Buchgewinn auf ein gleichlautendes Konto:
1200 Bank, 29 000 €
an 0450 Geschäftsausstattung, 22 500 € und
2030 Buchgewinn, 2 500 € und
1879 Umsatzsteuer 16 %, 4 000 €

Verkauf mit Buchverlust

Wird für die EDV-Anlage hingegen nur ein Preis von 20 000 € (netto) erzielt, so bucht man:
1200 Bank, 23 200 €
2035 Buchverlust, 2 500 €
an 0450 Geschäftsausstattung, 22 500 € und
1879 Umsatzsteuer 16 %, 3 200 €

Die bis 2002 gültige Vereinfachungsregel, dass bewegliche Wirtschaftsgüter des Anlagevermögens entweder für das volle Jahr (wenn im ersten Halbjahr angeschafft wurde) oder für das halbe Jahr (wenn im zweiten Halbjahr angeschafft wurde) abgeschrieben werden, ist seit 2003 nicht mehr gültig.

Das Konto „Abschreibungen" abschließen

Die Abschreibungen schließen Sie über die Gewinn- und Verlustrechnung ab. Als Gegenbuchung findet eine Wertminderung in der Bilanz statt, wodurch sich die Bilanzsumme verringert. Damit geht der Abschreibungsbetrag in das Betriebsergebnis ein.

Wie Abschreibungen über die GuV in die Bilanz gelangen

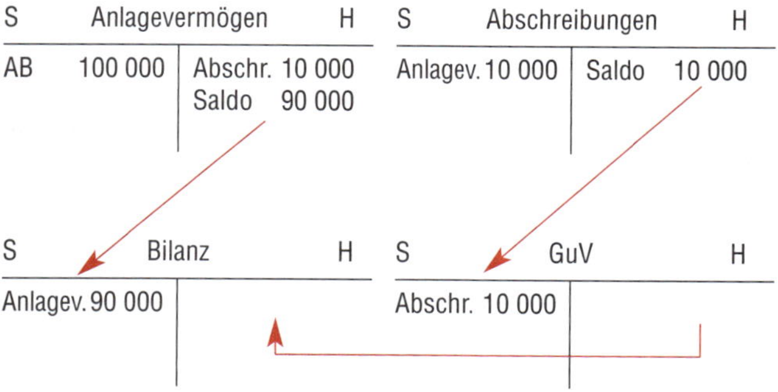

Für eine korrekte Bilanzerstellung reicht es aus, am Jahresende alle Abschreibungen auf einmal zu buchen. Sollen aber die Zwischenabschlüsse (Monats- und/oder Quartalsabschlüsse) aussagekräftig sein, empfiehlt es sich, die Abschreibungen auch monats- oder quartalsweise zu buchen. Da die Abschreibungsbeträge sich normalerweise nicht ändern, ist dies mit wenig Aufwand einzurichten.

Wann sind Rückstellungen und Abgrenzungen vorzunehmen?

Zeitliche Abgrenzungen

Buchführung ist immer zeitbezogen. Es reicht nicht aus, einen Vorgang irgendwie gebucht zu haben, er muss auch im richtigen zeitlichen Zusammenhang stehen. Als zeitlicher Rahmen für die gesamte Buchhaltung gilt das Geschäftsjahr.

■ *Die zeitliche Grenze zwischen zwei Geschäftsjahren ist der Bilanzstichtag. Da an ihm der Jahresabschluss stattfindet, müssen bis dahin in der Buchhaltung alle vermögens- und gewinnrelevanten Daten des laufenden Geschäftsjahres festgehalten sein, damit sie in die Bilanz einfließen.* ■

Es gibt nun gerade um den Jahreswechsel, aber auch zu anderen Zeitpunkten, immer wieder Ausgaben oder Einnahmen, die sich nicht auf das laufende Geschäftsjahr beziehen, also eigentlich Erträge oder Aufwendungen für das folgende oder vergangene Jahr sind. Diese Posten müssen aber in die Bilanz des Geschäftsjahres eingehen, zu dem sie gehören. Dazu bedient sich die Buchhaltung der **Rechnungsabgrenzung**.

Beispiel

Rechnungsabgrenzung

Rechnungsabgrenzung wird etwa notwendig bei

- noch nicht entrichteter Mehrwertsteuer
- Lohnsteuer und Sozialversicherungsbeiträgen
- Kfz-Steuern und -versicherungen
- noch nicht beglichenen Rechnungen an und vom Unternehmen
- Darlehenszinsen

und anderem mehr.

■ *Zeitliche Abgrenzungen beziehen sich auf die Zeit vor und nach dem Bilanzstichtag und betreffen alle Ausgaben und Einnahmen, die als Aufwendungen oder Erträge in eine andere Buchungsperiode gehören.* ■

Wie Sie richtig buchen

Wenn die Einnahmen und Ausgaben im alten Jahr, also vor dem Bilanzstichtag erfolgen, aber erst im neuen Jahr erfolgswirksam werden, müssen sie in das nächste Jahr „hinübergehen" (daher „transitorische Posten"). Das heißt, die Buchhaltung muss diese Beträge vorerst in der Bilanz ergebnisneutral unterbringen (sozusagen parken), um sie im neuen Jahr dann ergebniswirksam buchen zu können. Je nachdem, ob die Aktiv- oder die Passivseite betroffen ist, bucht man dabei auf die Konten Aktive oder Passive Rechnungsabgrenzung.

■ *Als Faustregel für die Aktive und Passive Rechnungsabgrenzung können Sie sich merken: Einnahme (Ausgabe) jetzt, Ertrag (Aufwendung) später.* ■

Beispiel

Am 1.7. wird die Kfz-Steuer (1 200 € für alle Pkws) für ein ganzes Jahr bezahlt; es wird also mehr gezahlt, als eigentlich für die verbleibenden sechs Monate des Geschäftsjahres anfällt. Die Steuer für die sechs Monate des folgenden Jahres muss daher herausgerechnet und abgegrenzt werden. Die Buchungen für die Kfz-Steuer sehen zunächst so aus:
4510 Kfz-Steuer, 1 200 €
an 1200 Bank, 1 200 €

Spätestens am Jahresende wird die Abgrenzung vorgenommen:
0960 Aktive Rechnungsabgrenzung, 600 €
an 4510 Kfz-Steuer, 600 €

Im neuen Jahr wird dann die Kfz-Steuer gebucht:
4510 Kfz-Steuer, 600 €
an 0960 Aktive Rechnungsabgrenzung, 600 €

Erfolgen die Einnahmen und Ausgaben hingegen im neuen Jahr, also nach dem Bilanzstichtag, obwohl der Ertrag oder der Aufwand noch im alten Jahr liegt, müssen Sie diese Posten vorwegnehmen, damit sie noch erfolgswirksam in der Bilanz erscheinen (in diesem Fall spricht man von „antizipativen Rechnungsabgrenzungsposten"). Hier buchen Sie auf die Konten **Sonstige Forderungen** oder **Sonstige Verbindlichkeiten.** Im neuen Jahr, wenn diese Konten über die Eröffnungsbilanz aufgelöst wurden, wird dann erfolgswirksam wieder auf das richtige Konto gebucht.

Beispiel

Am 3.1. werden von der Bank die Darlehenszinsen (720 €) für das vierte Quartal des vergangenen Jahres abgebucht. Die Kosten werden also erst im neuen Geschäftsjahr bezahlt, obwohl sie bereits im alten angefallen sind. Die Buchung sieht folgendermaßen aus:
2100 Zinsaufwendungen, 720 €
an 1800 Sonstige Verbindlichkeiten, 720 €

Nach der Auflösung des Kontos wird dann bei der Zahlung gebucht:
1800 Sonstige Verbindlichkeiten, 720 €
an 1200 Bank, 720 €

▪ *Das genaue Prüfen der Vorgänge, die zu einem bestimmten Zeitpunkt abzugrenzen sind, ist eine wichtige Aufgabe für den Buchhalter und/oder Steuerberater beim Jahresabschluss. Treten hier Fehler auf, wird das Jahresergebnis der betroffenen Geschäftsjahre verfälscht.* ▪

Rückstellungen – ungewisse Verbindlichkeiten buchen

Angenommen, Sie haben einen Autounfall verschuldet. Die Sachkosten des Schadens des Unfallgegners übernimmt die

Kfz-Versicherung, den eigenen Schaden trägt die Kaskoversicherung ebenfalls. Sie haben aber ein Strafverfahren abzuwarten und rechnen aufgrund der Rechtslage mit einer Strafe. Für diesen negativen Fall legen Sie sich etwas Geld beiseite – Sie machen eine Rückstellung.

Auch der Unternehmer muss jedes Jahr Rückstellungen für zukünftige Ausgaben einplanen. Denn bestimmte Aufwendungen werden im Geschäftsjahr verursacht, führen aber erst später zu einer tatsächlichen Ausgabe, wobei allerdings die genaue Höhe und/oder der Fälligkeitstermin noch unbestimmt sind, manchmal sogar der Empfänger nicht bekannt ist. Solche ungewissen Schulden sind etwa Pensionen oder wahrscheinlich eintretende Garantieverpflichtungen gegenüber Kunden. Sie können nur geschätzt werden, wobei die vernünftige kaufmännische Beurteilung Maßstab für die Höhe der Rückstellungen ist.

Rückstellungen werden generell gemacht für

- ungewisse Verbindlichkeiten wie Garantieleistungen, Schadenersatz, Gewerbesteuer oder schwebende Prozesse,
- drohende Verluste aus schwebenden Geschäften, z. B. Kaufverträge, aus denen noch ein Anspruch auf Lieferung besteht,
- unterlassene Reparaturen,
- Gewährleistungen, die ohne rechtliche Verpflichtung erbracht werden.

Rückstellungen für die ersten beiden Kategorien müssen gebildet, d. h. in der Bilanz passiviert werden (Passivierungspflicht nach § 249 HGB). Nähere Informationen zu Rückstellungen, die auch eine Form der Innenfinanzierung sind, finden Sie übrigens im TaschenGuide *Finanzieren*.

■ *Sobald der Grund für die Bildung der Rückstellung entfällt, oder aber der erwartete Fall eintritt, müssen Sie die Rückstellungen auflösen.* ■

Wann und wie Sie Rückstellungen buchen

Kleine Unternehmen richten in der Regel nur ein allgemeines Rückstellungskonto ein, in mittleren und großen Kapitalgesellschaften müssen sie nach Pensionen, Steuern und sonstigen Rückstellungen aufgeteilt werden.

Gebucht werden Rückstellungen als Aufwand in dem Jahr, in dem sie wirtschaftlich entstehen, und zwar folgendermaßen:

Aufwandskonto an Rückstellungen

Im Jahr der tatsächlichen Zahlung lautet die Buchung dann:

Rückstellung an Bank

Die Rückstellungskonten werden über die Bilanz abgeschlossen.

■ *Idealerweise nehmen Sie Buchungen der Rückstellungen am Jahresabschluss vor. Treten Fälle ein, die eine sofortige Auflösung erforderlich machen, z. B. die Zahlung von Prozesskosten, findet die Buchung auch während des Jahres statt.* ■

Aus den vielen Fällen für Rückstellungen nun ein Beispiel für eine ungewisse Steuerverbindlichkeit.

Beispiel

Das Finanzamt hat im November eine Lohnsteuerprüfung durchgeführt. Im Unternehmen wird mit einer Nachzahlung in Höhe von 2 000 € gerechnet, der Bescheid steht aber noch aus. Gebucht wird:
4130 Gesetzliche Soziale Aufwendungen, 2 000 €
an 0930 Steuerrückstellungen, 2 000 €

Das Konto Gesetzliche Soziale Aufwendungen wird über die Gewinn- und Verlustrechnung, das Konto Steuerrückstellungen über die Bilanz abgeschlossen. Folgt im Januar dann der Steuerbescheid mit einem Betrag von 2 200 €, sieht die Buchung folgendermaßen aus:
0930 Steuerrückstellungen, 2 000 € und
2020 Periodenfremde Aufwendungen, 200 €
an 1200 Bank, 2 200 €

Im neuen Jahr wirken sich nur die zusätzlichen 200 € erfolgswirksam, in diesem Fall mindernd auf den Gewinn, aus. Werden im Steuerbescheid aber nur 1 800 € gefordert, wird folgendermaßen gebucht:
0930 Steuerrückstellungen, 2 000 €
an 1200 Bank, 1 800 € und
2420 Periodenfremde Erträge, 200 €

Auch hier wirken sich nur die 200 €, jetzt aber gewinnerhöhend, auf das laufende Geschäftsjahr aus.

Bewertungen sind notwendig

Als ich mit 13 Jahren plötzlich dringend Geld benötigte, weil mir die Erkenntnis über Nacht gekommen war, dass ich – um Rockgitarrist zu werden – nun ein entsprechendes Equipment benötigte, beschloss ich, meine Briefmarkensammlung zu verkaufen. Die Alben mit den fein säuberlich geordneten Einzelmarken und Sätzen unter dem Arm, die Liste mit den Katalogwerten in der Hand, erschien ich eines Tages im Briefmarkenfachgeschäft und erklärte großzügig, dass ich vom Gesamtwert (lt. Katalog) von etwa 450 Mark zehn Prozent nachlassen würde, wenn ich den Gegenwert sofort in bar erhalten würde. Der Händler sah durch seine große Hornbrille meine Alben sorgfältig Seite für Seite an und machte dann sein Gegenangebot: 45 Mark. Das erschütterte mich und brachte mir meine erste Lektion bei zum Thema „Bewertung".

Der Kaufmann muss alles, was er an Vermögen und Schulden in die Bilanz schreiben will, einer strengen Bewertung unterziehen. Das bedeutet im Klartext, er muss die einzelnen Posten in Geldwerten ausdrücken. Dabei stellen sich vor allem folgende Fragen:

- Die Artikel, die im Lager liegen, stammen vielleicht aus unterschiedlichen Lieferungen, die zu unterschiedlichen Preisen bezogen wurden. Welcher Preis ist in der Bilanz anzusetzen?
- Wie werden Wertpapiere und Devisen behandelt? Welcher Wertansatz, welcher Kurs ist hier zu berücksichtigen?
- Einzelne Kunden haben schon lange nichts mehr bezahlt, bei anderen läuft bereits ein Gerichtsverfahren. Wie sind diese Forderungen zu bewerten?

Bewertungsfragen spielen nicht nur in der Handels- und Steuerbilanz eine Rolle, sondern auch in der Kostenrechnung und der Erfolgsrechnung. Die Maßstäbe sind aber je nach Zweck unterschiedlich.

Worauf müssen Sie bei der Bewertung achten?

Bei der **Bilanzerstellung** gelten strenge Vorgaben, die die Grundsätze ordnungsmäßiger Buchführung ergänzen. Dies dient dem Schutz des Gläubigers, aber auch des Teilhabers. Der Gesetzgeber gibt daher klare Richtlinien vor (§§ 252-256 HGB), auf die Sie achten müssen:

- Die Eröffnungsbilanz des neuen Jahres und die Schlussbilanz des alten Jahres müssen übereinstimmen.
- Bei der Bewertung ist von der Fortführung der Unternehmenstätigkeit auszugehen, wenn nicht eindeutig etwas anderes abzusehen oder beschlossen ist.
- Alle Vermögensgegenstände müssen Sie einzeln bewerten; Ausnahmen sind etwa bei Vorräten erlaubt.
- Es muss vorsichtig bewertet werden. Alle am Abschlussstichtag bekannten oder entstandenen Risiken sind in die Bewertung einzubeziehen.
- Gewinne und Verluste dürfen nur berücksichtigt werden, wenn sie am Abschlussstichtag realisiert sind.
- Aufwendungen und Erträge müssen Sie unabhängig von den Zeitpunkten der entsprechenden Zahlungen berücksichtigen, d. h. zeitlich abgrenzen (Seite 97).
- Einmal angewandte Bewertungsmethoden müssen auch in Zukunft beibehalten werden.

Bewertungsprinzipien beachten

Für Anlagevermögen, Umlaufvermögen und Verbindlichkeiten gelten allerdings unterschiedliche Maßstäbe:

- Für das **Umlaufvermögen** müssen Sie das **strenge Niederstwertprinzip** anwenden. Stehen mehrere Wertansätze, etwa Anschaffungskosten und Tageswert, am Bilanzstichtag zur Verfügung, müssen Sie zwingend den niedrigeren Preis von beiden ansetzen. Dies betrifft z. B. Waren, deren Preis inzwischen gefallen ist, oder auch Aktien, die das Unternehmen gekauft hat.
- Beim **Anlagevermögen** gehen Sie ähnlich vor wie beim Umlaufvermögen. Allerdings gilt hier das **gemilderte Niederstwertprinzip,** das vorsieht, dass vorübergehende und nicht nachhaltige Wertminderungen nicht berücksichtigt zu werden brauchen. Hier haben Sie also ein Wahlrecht.
- Das **Höchstwertprinzip** gilt für die Passivseite der Bilanz und bezieht sich im Wesentlichen auf die Schulden. Hier ist der jeweils höhere Wert anzusetzen.

Die Abschreibungen auf Forderungen

Im Abschnitt über Abschreibungen (Seite 90) haben wir gesehen, dass es relativ unproblematisch ist, Gegenstände des Anlagevermögens mit zeitlich begrenzter Nutzung zu bewerten, um sie dann abzuschreiben. Anders verhält es sich mit den Abschreibungen auf Forderungen. Hier tritt keine „planmäßige" Wertminderung ein; d. h. Sie müssen eine Bewertung vornehmen.

Forderungen gehören zum Umlaufvermögen und werden sinnvollerweise nach der Wahrscheinlichkeit ihres Eingangs bewertet:

- Einwandfreie Forderungen werden am Bilanzstichtag zu den Anschaffungskosten bewertet.
- Zweifelhafte Forderungen werden zum wahrscheinlichen Wert in der Bilanz berücksichtigt. Der Ausfall kann geschätzt und direkt oder indirekt, d.h. über ein Zwischenkonto, abgeschrieben werden. Das Risiko muss aber zum Zeitpunkt der Bilanzerstellung erkennbar sein (z.B. Eröffnung eines Vergleichsverfahrens).
- Uneinbringliche Forderungen sind Totalausfall, also Verlust und direkt abzuschreiben.

Beispiel

Abschreibung bei Konkurs eines Kunden

Ein Konkursverfahren über einen Kunden wird eröffnet. Er hat noch Forderungen in Höhe von 17 400 €. Es wird mit einem Ausfall von 50 % gerechnet. Zunächst wird die Forderung auf ein anderes Konto gebucht:
1490 Zweifelhafte Forderungen, 17 400 €
an 1410 Forderungen aus L.u.L., 17 400 €

Am Bilanzstichtag wird der vermutliche Ausfall abgeschrieben. Durch die Umsatzsteuerkorrektur muss auch die Umsatzsteuerschuld an das Finanzamt korrigiert werden:
4880 Abschreibungen auf Umlaufvermögen, 8 700 €
an 1490 Zweifelhafte Forderungen, 7 500 € und
an 1879 Umsatzsteuer, 1 200 €

Kommt aus dem Konkursverfahren dann jedoch nur eine Quote von 40 %, so ist folgendermaßen zu buchen:
1200 Bank, 6 960 €
an 1490 Zweifelhafte Forderungen, 6 960 €
und
4880 Abschreibungen auf Umlaufvermögen, 1 740 €
an 1490 Zweifelhafte Forderungen, 1 500 € und
an 1879 Umsatzsteuer, 240 €

Falls hingegen eine höhere Quote als die ursprünglich angenommene erzielt wird, entsteht ein außerordentlicher Ertrag. Auch in diesem Fall ist die Umsatzsteuer wieder zu korrigieren.

Was wird mit dem Gewinn gemacht?

Das Ziel eines jeden Kaufmannes sei die Erwerbung eines erlaubten und angemessenen Gewinns für seinen Unterhalt, sagte schon im 15. Jahrhundert Luca Pacioli in der Einleitung zu seiner Abhandlung über die Buchführung. Auch heute noch ist die Gewinnerzielung, wenn auch sicher nicht die einzige, aber eine wichtige Motivation, unternehmerisch tätig zu werden, schon allein, um den Fortbestand des Unternehmens langfristig zu sichern. Aber nicht nur der Unternehmer, Kapitalgeber oder Inhaber eines Betriebes sind am Gewinn interessiert; ebenso ist es der Staat, denn schließlich ist der Gewinn die Grundlage für die Einkommensbesteuerung.

Deshalb findet sich auch im Einkommensteuergesetz eine Definition des Begriffs „Gewinn": „Gewinn ist der Unterschiedsbetrag zwischen dem Betriebsvermögen am Schluss des Wirtschaftsjahres und dem Betriebsvermögen am Schluss des vorangegangenen Wirtschaftsjahres, vermehrt um den Wert der Entnahmen und vermindert um den Wert der Einlagen." (§ 4 EStG).

Wie Gewinne gebucht werden

Bei einer Einzelunternehmung ist die Buchung des Gewinns für den Buchhalter kein Problem. Das Gewinn- und Verlustkonto wird über das Privatkonto abgeschlossen. Das Privatkonto ist ein Unterkonto des Kapitalkontos, und so wirkt sich die Veränderung des Privatkontos direkt in der Bilanz auf der

Passivseite aus. Die Gewinnverteilung in anderen Gesellschaften ist da etwas komplizierter.

Bei einer Personengesellschaft (OHG, KG) sind i. d. R. mehrere Gesellschafter vorhanden, somit muss der über die Gewinn- und Verlustrechnung ermittelte Gewinn auf die einzelnen Konten der Gesellschafter verteilt werden. Es handelt sich bei den Gesellschafterkonten um Unterkonten des Kapitalkontos. Die Verteilung regelt entweder der Gesellschaftervertrag oder das Gesetz.

Bei der OHG schreibt das Gesetz (§121 HGB) bei einer fehlenden vertraglichen Einigung vor,

- dass zunächst die Kapitaleinlage mit 4 % verzinst werden soll und anschließend
- der Rest des Gewinns nach Köpfen verteilt wird.

Beispiel

Gewinnbuchung bei einer OHG

In einer OHG sind 75 000 € an Gewinn erwirtschaftet worden. In dieser Gesellschaft sind drei Gesellschafter vertreten, von denen einer außerdem noch als Geschäftsführer (GF) tätig ist. Für diese Tätigkeit erhält dieser vorab aus dem Gewinn 25 000 €.

Gesellschafter	Anfangskapital	GF-Anteil	Verzinsung 4 %	Restverteilung	gesamter Gewinn	Endkapital
A	50 000		2 000	14 667	16 667	66 667
B	70 000		2 800	14 667	17 467	87 467
C	30 000	25 000	1 200	14 666	40 866	70 866

Die Abschlussbuchungen lauten dann zum Jahresende:
Gewinn und Verlustkonto, 75 000 €

an Kapitalkonto A, 16 667 € und
Kapitalkonto B, 17 467 € und
Kapitalkonto C, 40 866 €

Bei der KG gilt ebenfalls bei fehlender vertraglicher Vereinbarung eine gesetzliche Bestimmung (§ 168 HB). Danach kommt zuerst wieder eine Vorabverzinsung von 4 %. Der Rest sollte in angemessenem Verhältnis verteilt werden.

Beispiel

Gewinnverteilung bei der KG

Bei gleichem Gewinn wie bei der OHG sieht die Tabelle so aus:

Gesellschafter	Anfangskapital	GF-Anteil	Verzinsung 4 %	Restverteilung	gesamter Gewinn	Endkapital
A	50 000		2 000	14 665	16 665	66 665
B	70 000		2 800	20 535	23 335	93 335
C	30 000	25 000	1 200	8 800	35 000	65 000
Summe	150 000		6 000	44 000	75 000	225 000

Bei Kapitalgesellschaften (AG, GmbH) und Genossenschaften sieht es etwas anders aus. Es gibt keine Gesellschafterunterkonten innerhalb des Eigenkapitals der Bilanz. Geführt wird ein Eigenkapitalkonto, das die Kapitaleinlagen zum Nennwert (bei der AG) enthält. Außerdem gehören dazu Konten für Rücklagen. In diese Rücklagen werden Gewinne, die im Laufe des Jahres entstehen, eingestellt. Der Gesetzgeber unterscheidet dabei:

- gesetzliche Rücklagen (§ 150 AktG)
- freie Rücklagen (§ 58 AktG).

In die gesetzlichen Rücklagen müssen beispielsweise jährlich 5 % des Jahresüberschusses eingestellt werden, und zwar so lange, bis 10 % des gezeichneten Kapitals erreicht sind. Bei der GmbH gibt es diese Auflage allerdings nicht. Rücklagen sind zusätzliches Haftungskapital.

Die Analyse des Jahresabschlusses

Das System der doppelten Buchführung samt Abschlusstechnik ist mehr als 500 Jahre alt. Die Pflicht zu einem Jahresabschluss nach bestimmten Regeln hat ebenfalls seine Geschichte. Colbert, der Minister Ludwig XIV., brachte bereits in Frankreich eine Verordnung heraus, die eine Bilanz alle zwei Jahre zur Pflicht machte. Ein Zeitgenosse Colberts, der Franzose Savary, weist in seinen Veröffentlichungen bereits auf die Bewertung zum Niederstwertprinzip hin. Die Bilanz pro Jahr setzte sich im 19. Jahrhundert durch. In dieser Zeit kam auch die Differenzierung in Handels- und Steuerbilanz auf. Heute ist die Jahresbilanz nicht nur in Deutschland Gesetz. In den USA sind Quartalsbilanzen bei großen Gesellschaften üblich.

Die Bilanz soll einen wahren, möglichst objektiven Einblick über die Vermögensverhältnisse des Unternehmens zu einem Stichtag geben. Da dieses stichtagsbezogene Bild des Unternehmens allein nicht aussagefähig ist, kommt die Gewinn- und Verlustrechnung als zeitbezogene Erfolgsrechnung hinzu. Außerdem müssen mittlere und große Kapitalgesellschaften einen Lagebericht verfassen, der eine möglichst genaue Beschreibung des Unternehmens und seiner Perspektiven liefern soll.

Kennzahlen sind objektive Beurteilungskriterien

Ein geübter Fachmann oder eine geübte Fachfrau werden aus solch einer Bilanz eine ganze Menge über das Unternehmen herauslesen können. Trotzdem bedient man sich auch spezieller Analysemethoden, um einen objektiveren Vergleich durchführen zu können. Die bekannteste Methode ist die Analyse mit **Kennzahlen**. Sie geben in erster Linie Aufschluss über die Vermögenssituation und die Liquiditätslage. Weitere Kennzahlen informieren über die Rentabilität und die Investitionsfähigkeit des Unternehmens. (Detaillierte Informationen über Kennzahlen erhalten Sie im gleichnamigen TaschenGuide.)

Die wichtigsten Kennzahlen

In der Regel wird als erstes die Frage nach der **Rentabilität** des Unternehmens gestellt. Dabei können Sie zwei Kennzahlen unterscheiden:

- Die **Eigenkapitalrentabilität** soll zeigen, ob sich der Einsatz des Eigenkapitals gelohnt hat:

$$\frac{\text{Gewinn (Verlust) in €/Jahr}}{\text{durchschnittl. Eigenkap. in €}} \times 100$$

Die Gesamtkapitalrentabilität soll zeigen, wie rentabel das gesamte Unternehmen ist. Denn ein Unternehmen finanziert sich nicht nur aus eigenem Kapital, sondern auch aus Fremdkapital. Die Formel zur Berechnung der Gesamtkapitalrentabilität lautet:

$$\frac{\text{Gewinn (Verlust) + Zinsaufwand €/Jahr}}{\text{durchschnittl. Gesamtkapital in €}} \times 100$$

Die Umsatzrentabilität gibt an, wie viel Gewinn oder Verlust in Prozent von den Nettoerträgen übrig bleibt:

$$\frac{\text{Gewinn (Verlust) in €/Jahr}}{\text{Erträge in €/Jahr}} \times 100$$

Wie ist das Kapital angelegt und wie liquide ist das Unternehmen?

Nicht uninteressant ist es auch zu wissen, wie das Kapital im Unternehmen angelegt ist. Optimal wäre es, wenn das langfristige Kapital auch im langfristigen Vermögen (dem Anlagevermögen) steckt, oder noch besser: wenn es zusätzlich einen Teil des Umlaufvermögens mitfinanziert; so ist es ein gutes Zeichen, wenn der Warenbestand, der als Grundbestand eigentlich immer am Lager liegt, mit langfristigen Mitteln finanziert ist. Für eine weniger gute Lage des Unternehmens spricht, wenn das langfristige Kapital nicht für das Anlagevermögen ausreicht, dieses also auch durch kurzfristige Mittel finanziert ist. Dann liegt eine Kapitalunterdeckung vor.

Der Anteil des langfristigen Kapitals zum Anlagevermögen errechnet sich wie folgt:

$$\frac{\text{Langfristiges Kapital in €}}{\text{Anlagevermögen in €}} \times 100$$

Die eigentliche Zahlungsfähigkeit ergibt sich aber aus drei speziellen Kennziffern zur **Liquidität**:

- Die Liquidität 1. Grades prüft, welche kurzfristigen Mittel (Aktiva) zur Verfügung stehen (Kassenbestände, Bank- und Postscheckguthaben), um die kurzfristigen Verbindlichkeiten (Passiva) zu bezahlen:

$$\frac{\text{Flüssige Mittel in €}}{\text{kurzfristige Verbindlichkeiten in €}} \times 100$$

- Die Liquidität 2. Grades bezieht die kurzfristigen Forderungen in die Betrachtung mit ein, also alle Mittel, die das Unternehmen selbst kurzfristig noch zu bekommen hat.

$$\frac{\text{Flüssige Mittel + kurzfristige Forderungen}}{\text{kurzfristige Verbindlichkeiten in €}} \times 100$$

- Die Liquidität 3. Grades erhält man, wenn auch sonstige kurzfristig liquidierbare Teile des Umlaufvermögens mit hinzugerechnet werden. Damit ist i. d. R. der vorhandene Warenbestand gemeint. Die Summe dieser kurzfristigen Mittel nennt man auch das Working Capital.

$$\frac{\text{Working Capital in €}}{\text{kurzfristige Verbindlichkeiten in €}} \times 100$$

Eine Analyse des Jahresabschlusses ist nicht nur bei fremden Unternehmen interessant, sondern auch ein gutes Mittel, um die Entwicklung des eigenen Unternehmens zu beobachten. Dabei ist die einmalige Erstellung von Kennzahlen allerdings wenig aussagefähig. Erst durch eine regelmäßige Betrachtung und den Vergleich verschiedener Geschäftsjahre gewinnen Sie einen Eindruck, was sich zum Positiven, was sich zum Negativen verändert hat.

Anhang

SKR 01 Kontenrahmen (DATEV)

Nr.	Kontenbezeichnung
	Anlage- und Kapitalkonten
0010	Grund und Boden
0020	Grund und Boden unbebaut
0050	Grund und Boden mit Betriebsgebäude
0080	Grund und Boden mit Wohngebäude
0100	Gebäude
0110	Fabrikgebäude
0120	Bürogebäude
0130	Wohngebäude
0140	Heizungsanlagen
0150	Außenanlagen
0160	Hof- und Wegebefestigung
0170	Garagen
0180	Ausbauten, Anbauten, Zubauten
0190	Gebäude im Bau
0200	Maschinen, Anlagen u. Betriebsvorrichtung
0210	Maschinen
0220	Maschinengebundene Werkzeuge
0240	Maschinelle Anlagen
0250	Transportanlagen u.Ä.
0260	Betriebsvorrichtungen
0290	Anlagen im Bau
0300	Kraftfahrzeuge, Transportmittel
0310	Pkw
0340	Lkw
0370	Sonstige Transportmittel
0390	Transportmittel im Bau

0400	Sonstiges Inventar
0410	Betriebsausstattung
0420	Werkzeuge
0430	Ladeneinrichtung
0440	Büroeinrichtung
0450	Geschäftsausstattung
0460	Gerüst- u. Schalungsmaterial
0480	Geringwertige Anlagegüter
0490	Ausstattung im Bau
0500	Beteiligungen
0520	Geschäftsguthaben
0540	Lizenzen, Patente
0545	Ähnliche Rechte u. Werte
0547	EDV-Software
0550	Geschäftswert, Firmenwert
0600	Langfristige Forderungen
0630	Darlehen (langfristige Forderungen)
0660	Festverzinsliche Wertpapiere
0680	Kautionen (langfristige Forderungen)
0700	Langfristige Verbindlichkeiten
0710	Hypotheken, Grundschulden
0730	Darlehen (langfristige Verbindlichkeiten)
0780	Kautionen (langfristige Verbindlichkeiten)
0790	Verbindlichkeiten gegenüber Kreditinstituten
0800	Kapital
0890	Gewinn-, Verlustvortrag
0930	Steuerrückstellungen
0931	Gewerbesteuerrückstellungen
0935	Körperschaftsteuerrückstellung
0940	Sonstige Rückstellungen
0945	Rückstellungen für Abschlusskosten
0950	Garantierückstellungen
0960	Aktive Rechnungsabgrenzung
0970	Passive Rechnungsabgrenzung
0980	Damnum/Disagio
	Finanzkonten
1000	Kasse

1100	Postgiro
1200	Bank
1310	Besitzwechsel
1330	Schecks
1350	Wertpapiere des Umlaufvermögens
1360	Geldtransit
1370	Verrechnungskonto
1390	Verrechnungskonto. Ist-Versteuerung
1410	Forderungen aus Lieferungen und Leistungen
1490	Zweifelhafte Forderungen
1500	Sonstige Forderungen
1530	Forderungen an Personal
1540	Steuerüberzahlungen
1547	Umsatzsteuer Vorjahre
1570	Anrechenbare Vorsteuer
1576	Anrechenbare Vorsteuer 7 %
1577	Anrechenbare Vorsteuer 14 %
1578	Anrechenbare Vorsteuer 15 %
1579	Anrechenbare Vorsteuer 16 %
1610	Verbindlichkeiten aus Lieferungen und Leistungen
1710	Schuldwechsel
1800	Sonstige Verbindlichkeiten
1860	Umsatzsteuer nicht fällig
1870	Umsatzsteuer
1876	Umsatzsteuer 7 %
1877	Umsatzsteuer 14 %
1878	Umsatzsteuer 15 %
1879	Umsatzsteuer 16 %
1880	Umsatzsteuervorauszahlungen
1886	Umsatzsteuer Vorjahr
1900	Privat
1910	Privatsteuern
1920	Beschränkt abzugsfähige Sonderausgaben
1930	Unbeschränkt abzugsfähige Sonderausgaben
1940	Spenden
1950	Außergewöhnliche Belastungen
1960	Grundstücksaufwand

1970	Grundstücksertrag
1980	Eigenverbrauch
1990	Einlagen
	Abgrenzungskonten
2000	Außerordentliche Aufwendungen
2010	Betriebsfremde Aufwendungen
2020	Periodenfremde Aufwendungen
2030	Anlagenabgänge (Buchgewinn)
2035	Anlagenabgänge (Buchverlust)
2100	Zinsaufwendungen
2126	Gewährte Skonti 7 %
2127	Gewährte Skonti 16 %
2600	Zinserträge
2626	Erhaltene Skonti 7 %
2627	Erhaltene Skonti 16 %
	Warenkonten
3000	Wareneinkauf
3100	Handelswaren
3200	Rohstoffe
3300	Hilfs- und Betriebsstoffe
3500	Nicht anrechenbare Vorsteuer
3540	Wareneingang 7 % Vorsteuer
3550	Wareneingang 15 % Vorsteuer
3560	Wareneingang 16 % Vorsteuer
3580	Wareneingang steuerfrei
3600	Fremdleistungen
3700	Bezugskosten
3960	Bestandsveränderungen Stoffe und Waren
3970	Verrechnete Stoffkosten
3980	Roh-, Hilfs-, Betriebsstoffe (Bestand)
3987	Bestand unfertige Erzeugnisse
3991	Bestand fertige Erzeugnisse
3996	Waren (Bestand)
	Kostenarten-Konten
4000	Material- und Stoffverbrauch
4100	Personalkosten
4110	Löhne

4120	Gehälter
4130	Gesetzl. Soziale Aufwendungen
4138	Beiträge Berufsgenossenschaft
4140	Freiw. Soziale Aufwendungen
4190	Aushilfslöhne
4200	Raumkosten
4210	Miete
4230	Heizung
4240	Gas, Strom, Wasser
4290	Privater Raumkostenanteil (Haben)
4320	Gewerbesteuer
4360	Versicherungen, Beiträge, Abgaben
4500	Fahrzeugkosten
4510	Kfz-Steuer
4520	Kfz-Versicherungen
4530	Kfz-Betriebskosten
4540	Kfz-Reparaturen
4550	Garagenmiete
4570	Fremdfahrzeuge
4610	Werbekosten
4630	Geschenke bis 40,– EUR
4635	Geschenke ab 40,– EUR
4640	Repräsentationskosten
4650	Bewirtungskosten
4655	Nicht abzugsfähige Betriebsausgaben
4660	Reisekosten Arbeitnehmer
4663	Reisekosten Arbeitnehmer mit Vorsteuerabzug
4664	Reisekosten Arbeitnehmer Verpflegungsmehraufwendungen
4666	Reisekosten Arbeitnehmer Übernachtungsaufwendungen
4668	Kilometergelderstattung Arbeitnehmer
4670	Reisekosten Unternehmer
4673	Reisekosten Unternehmer mit Vorsteuerabzug
4674	Reisekosten Unternehmer Verpflegungsaufwendungen
4676	Reisekosten Unternehmer Übernachtungsaufwand
4678	Kilometergelderstattung Unternehmer
4700	Kosten der Warenabgabe
4710	Verpackungsmaterial

4730	Ausgangsfrachten
4750	Transportversicherungen
4760	Verkaufsprovisionen
4780	Fremdarbeiten
4800	Instandhaltung
4840	Mietleasing
4850	Kaufleasing
4860	Abschreibung Anlagevermögen
4865	Abschreibungen Finanzanlagen
4870	Abschreibungen GWG
4880	Abschreibungen Umlaufvermögen
4910	Porto
4920	Telefon
4930	Büromaterial
4940	Zeitschriften/Bücher
4950	Rechts- und Beratungskosten
4980	Betriebsbedarf
	Warenverkaufskonten
8000	Erlöse USt.-frei
8300	Umsatzerlöse 7 % USt.
8400	Umsatzerlöse 16 % USt.
8404	Steuerfreie Umsätze gem. § 4 b UStG
8500	Steuerfreie Umsätze o. VoSt. § 4 Nr. 8-28 UStG
8600	Provisionserlöse 16 %
8710	Erlöse Anlagenverkäufe 16 %
8910	Eigenverbrauch 16 % (Sachentnahmen
8915	Eigenverbrauch 7 % (Sachentnahmen)
8920	Eigenverbrauch 15 % (Nutzungsentnahmen)
	Abschlusskonten
9000	Saldovortrag Sachkonten
9008	Saldovortrag Debitoren
9009	Saldovortrag Kreditoren
9090	Summenvortragskonto

Buchführungs-ABC

Abgrenzung

Betriebs- oder periodenfremde Aufwendungen oder Erträge müssen abgegrenzt werden, um eine Verfälschung der Betriebsergebnisse zu vermeiden.

Abschreibungen

Es wird unterschieden zwischen planmäßiger, außerplanmäßiger und steuerrechtlicher Abschreibung. Bei allen Methoden werden die Anschaffungs- oder Herstellungskosten auf die geschätzte Gesamtdauer der Verwendung oder Nutzung verteilt. Üblich sind die lineare, die degressive oder die Leistungsabschreibung.

Aktivierung

Die Buchung auf der Sollseite eines aktiven Bestandskontos in der Buchführung und den Ansatz eines Aktivpostens in der Bilanz bezeichnet man als Aktivierung.

Aktivkonto

Bestandskonto in der Finanzbuchhaltung. Es ist ein Vermögenskonto und wird über die Schlussbilanz abgeschlossen.

Anhang

Kapitalgesellschaften müssen in ihrem Jahresabschluss neben der Bilanz und der Gewinn- und Verlustrechnung in einem Anhang Erläuterungen zu den Posten der Bilanz und der GuV machen. Je nach Größe der Gesellschaft sind noch weitere Angaben nötig (z. B. ausstehende Einlagen, Sonderposten mit Rücklagenanteil).

Anlagenbuchführung

Das Anlagevermögen eines Unternehmens besteht aus Sachanlagen, Finanzanlagen und immateriellen Vermögensgegenständen. Die A. erfasst die Sachanlagen eines Unternehmens und führt diese so lange auf, wie sie im Unternehmen enthalten und eingesetzt sind. Ein Anlagespiegel mit einer Übersicht der Abschreibungen und des Restwertes gehört in den Anhang zur Bilanz.

Anschaffungskosten

Aufwendungen, die geleistet werden müssen, um ein Wirtschaftsgut zu erwerben und in betriebsbereiten Zustand zu versetzen (Kaufpreis + Bezugs- und Nebenkosten).

Aufbewahrungsfristen

Buchführungsunterlagen müssen innerhalb bestimmter Fristen aufbewahrt werden (§ 257 HGB). Seit dem Jahr 2000 beträgt die Frist für alle Unterlagen der Buchhaltung (Handelsbücher, Lageberichte, Konzernabschlüsse und -lageberichte, Buchungsbelege) 10 Jahre.

Aufwendungen

Minderungen des Betriebsvermögens. Sie sind aus betrieblicher Veranlassung entstanden und dem aktuellen Geschäftsjahr zuzurechnen, zu dem sie gehören.

Ausgaben

Geschäftsvorfälle, die das Geldvermögen des Betriebes verändern. Ihnen stehen die Einnahmen gegenüber.

Außerordentliche Erträge

Erträge, die außerhalb der gewöhnlichen Geschäftstätigkeit anfallen. Sie beruhen auf Ereignissen, die ungewöhnlich in der Art sind und selten vorkommen. Dazu gehören u. a.: Erträge aus dem Verkauf von Betriebsteilen oder von Beteiligungen.

Beleg

Ein Schriftstück, das dem zu buchenden Geschäftsvorfall zugrundeliegt und dieses „belegt".

Bestandskonten

Sie entstehen aus der Auflösung der Bilanz zu Beginn eines Geschäftsjahres und nehmen deren Anfangsbestände auf.

Bestandsveränderungen

Die Umsatzerlöse einer Periode von Herstellungsbetrieben entsprechen nicht den gesamten betrieblichen Leistungen. Es sind auch die Bestandsveränderungen bei Beständen an noch nicht verkauften eigenen Erzeugnissen zu berücksichtigen. Wurde mehr verkauft, als an produzierten Waren ins Lager genommen wurde, kommt es zu einer negativen (Lagerbestand wurde abgebaut), wurde weniger verkauft, als an produzierten Waren ins Lager genommen wurde, kommt es zu einer positiven Bestandsveränderung (Lagerbestand wurde aufgebaut).

Betriebsergebnis

Das Betriebsergebnis ist die Leistung einer definierten Periode und ergibt sich aus der Gewinn- oder Verlustrechnung.

Bilanz

Aus dem Italienischen bilancia = Gleichgewicht der Waage. Die Gegenüberstellung des Vermögens und der Schulden eines Kaufmanns oder Betriebes. Sie wird zu

Beginn des Handelsgewerbes sowie zu jedem Ende eines Geschäftsjahres aufgestellt. Die Bilanz wird in der Form eines T-Kontos aufgeführt. Die linke Seite heißt Aktiva und enthält das Vermögen, die rechte Seite heißt Passiva und enthält die Schulden. Man sagt auch: Die Passivseite zeigt die Mittelherkunft, die Aktivseite die Mittelverwendung an.

Bilanzgliederung

Bilanzen müssen nach bestimmten Ordnungskriterien gegliedert werden; diese richten sich nach den Grundsätzen ordnungsmäßiger Buchführung (GoB). Kapitalgesellschaften müssen sich an die gesetzlichen Vorschriften (§ 266 HGB) halten.

Buchung

Das schriftliche Festhalten eines Geschäftsvorfalls auf den Konten. Es werden bei der doppelten Buchhaltung immer mindestens zwei Konten berührt.

Debitoren

Alle Schuldner des Unternehmens (Forderungen). Sie werden in der so genannten Debitorenbuchhaltung verwaltet.

Eigenkapital

Anteil des vom Unternehmer ins Unternehmen selbst eingebrachten Vermögens (bei Personengesellschaften) bzw. das Betriebsvermögen (bei Kapitalgesellschaften).

Eigenleistungen

Aufwendungen des eigenen Betriebes zur Herstellung eines Wirtschaftsgutes, welches nicht für die Veräußerung bestimmt ist, sondern zur Nutzung im eigenen Betrieb.

Eigenverbrauch

Eigenverbrauch liegt vor, wenn Gegenstände aus dem Unternehmen für Zwecke entnommen werden, die außerhalb des Unternehmens liegen, oder wenn Aufwendungen getätigt werden, die unter das Abzugsverbot bestimmter Vorschriften des Einkommensteuergesetzes fallen (§4 EStG).

Einnahmen

Durch Einnahmen wird das Geldvermögen eines Unternehmens verändert. Ihnen stehen die Ausgaben gegenüber.

Entnahmen

Wirtschaftsgüter, die der Steuerpflichtige dem Betrieb entnimmt (Barmittel, Waren oder Leistungen), zählen zu den Entnahmen und müssen als Einkünfte versteuert werden (§ 4 EStG).

Erfolgskonten

Auf ihnen werden die Aufwendungen und Erträge im Laufe des Geschäftsjahres gebucht (Aufwands- und Ertragskonten). In der Gewinn- und Verlustrechnung erscheinen die Salden dieser Konten wieder als Aufwendungen und Erträge.

Erträge

Der in Geld bewertete Wertzugang in einer Periode. Sie erhöhen das Reinvermögen eines Unternehmens.

Forderungen

Bezeichnen das Recht von einem anderen, aufgrund eines Schuldverhältnisses eine Leistung zu fordern (§ 241 BGB).

Geringwertige Wirtschaftsgüter

Die Anschaffungs- oder Herstellungskosten von beweglichen Wirtschaftsgütern des Anlagevermögens können dann vollständig im Jahr der Anschaffung abgeschrieben werden, wenn der Wert des einzelnen Wirtschaftsgutes 800 DM nicht übersteigt und es selbständig nutzbar ist.

Geschäftsjahr

Ein Zeitraum, der die Dauer von 12 Monaten nicht übersteigen darf und nicht zwingend mit dem Kalenderjahr identisch sein muss. Ein kürzerer Zeitraum wird dann akzeptiert, wenn bei Betriebsbeginn eine Anpassung an einen anderen Zeitraum erfolgen soll oder der Betrieb aufgelöst wird.

Gewinn- und Verlustrechnung

Eine Gegenüberstellung der Aufwendungen und Erträge eines Geschäftsjahres. Sie bildet zusammen mit der Bilanz den Jahresabschluss.

Herstellungskosten

Aufwendungen, die durch den Verbrauch von Gütern und die Inanspruchnahme von Diensten entstehen. Sie setzen sich zusammen aus den Einzelkosten der Fertigung und den Fertigungsgemeinkosten.

Inventar/Inventur

Zu Beginn des Handelsgewerbes und zum Schluss eines jeden Geschäftsjahres hat jeder Kaufmann sein Vermögen und seine Schulden genau zu verzeichnen. Den Vorgang nennt man Inventur, die tabellarische Auflistung das Inventar.

Jahresabschluss

Dieser besteht aus der Bilanz und der Gewinn- und Verlustrechnung (GuV). In manchen Fällen (z.B. bei Kapitalgesellschaften) gehört noch ein zusätzlicher Anhang und Lagebericht zum Jahresabschluss.

Kontenplan

Auf Basis eines Kontenrahmens bestehende Auflistung aller in einer Buchhaltung benutzten Konten.

Kontenrahmen

Ein Kontenrahmen ist ein Organisations- und Gliederungsplan für das Rechnungswesen. Diese Kontenrahmen liegen heute in standardisierten Formen vor (z. B. GKR, IKR, SKR 01, SKR 02).

Konto

Aus dem Italienischen (conto = Rechnung). Zweiseitige Aufstellung, auf der die einzelnen Geschäftsvorfälle gebucht werden. Die linke Seite wird als Soll-Seite, die rechte Seite als Haben-Seite bezeichnet. Zu- und Abgänge werden immer auf verschiedenen Seiten dargestellt.

Kreditoren

Unter dem Begriff Kreditoren werden alle kreditgewährenden Gläubiger zusammengefasst. Den größten Teil machen in einem Unternehmen die kreditgewährenden (Waren-)Lieferanten aus. Sie werden in der so genannten Kreditorenbuchführung verwaltet.

Lagebericht

Gehört bei Kapitalgesellschaften neben Jahresabschluss und Anhang zu den Abschlussunterlagen. In ihm sind Angaben zum Geschäftsverlauf und zur Lage des Unternehmens zu machen.

Lagerbuchhaltung

Nebenbuchhaltung, die eine Übersicht über (Waren-)Bestände und deren Veränderung führt.

Materialaufwand

Eine Position in der Gewinn- und Verlustrechnung, die nach dem Gesamtkostenverfahren aufgestellt wird. Darin sind alle Materialaufwendungen ausgewiesen, die mit den Umsatzerlösen wirtschaftlich zusammenhängen.

Neutrale Aufwendungen

Sie dienen nicht dem eigentlichen Betriebszweck. Es gehören dazu: betriebsfremde und außergewöhnliche Aufwendungen.

Neutrale Erträge

Sie entstehen nicht durch den eigentlichen Betriebszweck. Darunter fallen u. a. Steuererstattungen aus dem Vorjahr (periodenfremde), Erträge aus Beteiligungen (betriebsfremde), Gewinn aus dem Verkauf eines Anlagegutes (außerordentlich).

Passivierung

Die Buchung auf der Haben-Seite eines passiven Bestandskontos in der Buchführung und den Ansatz eines Passivpostens in der Bilanz bezeichnet man als Passivierung.

Passivkonto

Bestandskonto in der Finanzbuchhaltung. Ein Passivkonto ist ein Schuldenkonto, es wird über das Schlussbilanzkonto abgeschlossen.

Personenkonten

Unterkonten der Bilanzkonten, Verbindlichkeiten sowie Forderungen aus Lieferungen und Leistungen. Man nennt sie auch Kreditoren und Debitoren.

Privatentnahmen

Eine Privatentnahme liegt vor, wenn der Unternehmer Wirtschaftsgüter aus dem betrieblichen in den privaten Bereich überführt.

Privatkonto

Bei Einzelfirmen und Personengesellschaften werden für den Einzelunternehmer bzw. die vollhaftenden Gesellschafter so genannte Privatkonten geführt. Auf diesen werden alle Einlagen und Entnahmen gebucht.

Rechnungsabgrenzung

Als Rechnungsabgrenzung sind auf der Aktivseite Ausgaben vor dem Abschluss-ßstichtag auszuweisen, soweit sie Aufwendungen für eine bestimmte Zeit nach diesem Tag darstellen. Auf der Passivseite sind Einnahmen vor dem Abschlussstichtag auszuweisen, soweit sie Erträge für eine bestimmte Zeit nach diesem Tag darstellen.

Rücklagen

Kapitalgesellschaften bilden aus rechtlichen oder betriebswirtschaftlichen Gründen aus Kapital oder Gewinn Rücklagen zur Deckung noch nicht entstandener Verbindlichkeiten, z. B. um etwaige künftige Jahresverluste auszugleichen. Offene Rücklagen werden als Bestandteil des Eigenkapitals in der Bilanz ausgewiesen. Stille Rücklagen entstehen durch eine Unterbewertung der Aktiva oder eine Überbewertung der Passiva und erscheinen nicht in der Bilanz.

Rückstellungen

Rückstellungen sind Verbindlichkeiten, deren Fälligkeit und Höhe ungewiss sind. Ausgaben und Verluste, die wirtschaftlich das abgelaufene Jahr betreffen, werden durch die Bildung von Rückstellungen periodengerecht abgegrenzt. Es erfolgt keine endgültige Gewinnkorrektur, sondern lediglich eine Gewinnverlagerung auf das Jahr, das wirtschaftlich mit diesem Aufwand belastet werden soll.

Skonto

Für die Zahlung einer Rechnung innerhalb einer bestimmten Frist wird oftmals ein Abzug gewährt, der Skonto genannt wird. Damit soll ein Anreiz zur frühzeitigen Zahlung gegeben werden.

Sonstige Forderungen

Bei den Sonstigen Forderungen erfolgt der Ertrag im alten Jahr, während die Einnahme erst im neuen Jahr erfolgt.

Sonstige Verbindlichkeiten

Bei den Sonstigen Verbindlichkeiten handelt es sich um Aufwendungen, die im alten Jahr entstanden sind und deren Zahlung erst im neuen Jahr erfolgt.

Stornobuchung

Unter einer Stornobuchung versteht man das Rückgängigmachen einer Buchung. Dabei muss die ursprüngliche Buchung kenntlich bleiben. Am sichersten ist es, die Stornobuchung in der Form einer Umbuchung zu realisieren. Dabei wird die ursprüngliche Buchung mit umgekehrtem Buchungssatz wiederholt.

Umsatzsteuer

Die Umsatzsteuer wird auf jeder Wirtschaftsstufe auf eine Ware oder eine Leistung erhoben. Durch den Vorsteuerabzug der Umsatzsteuer, die auf einer Vorstufe entstanden ist, wird jeweils nur der Mehrwert der Ware oder Leistung besteuert. Daher auch die Bezeichnung „Mehrwertsteuer“. Als Verbrauchersteuer ist die Umsatzsteuer für die Unternehmen erfolgsneutral.